予防医学で健康不安は消せる！

100年長生き

産業医・内科医
Preventive Room株式会社代表
森勇磨

ワニブックス

「いくつになっても若くて元気な人、そうでない人の違いはどこにある？」

人生100年時代と言われるなか、
年々増える不調に将来の不安を抱えている人も
多いのではないでしょうか。

認知症や病気を遠ざけ、
人生の質を底上げしてくれるのは、
小さな健康習慣の積み重ねと
「老い」を怖がらない心構えです。

本書は健康不安を抱える
すべての人のために、
ベストセラー100冊から

不老長寿の知恵を一冊に凝縮！

読むだけで、老いへの不安が

す〜っと消えていきます。

100歳まで
元気に生き切る
ノウハウを手に入れて
ボクが教えます!
医師 森勇磨
こんと
行くよー!

「老いに」
強くなる！

老いへの不安がすーっと消える
幸福長寿100冊

『ストレスに負けない生活
――心・身体・脳のセルフケア』
熊野宏昭・著

→P.38

眠れなくなるほど面白い
『図解 ストレスの話』
ゆうきゆう・監修

→P.41・42

『おひとりさまの老後』
上野千鶴子・著

→P.40

『HAPPY STRESS
（ハッピーストレス）』
ストレスがあなたの脳を進化させる
青砥瑞人・著

→P.41・43

イラスト&図解
知識ゼロでも楽しく読める！
『人間関係の心理学』
齊藤勇・監修

→P.46・48

『なぜか人生がうまくいく
「明るい人」の科学』
和田秀樹・著

→P.47

『多分そいつ、今ごろパフェとか食ってるよ。』
Jam・著、名越康文・監修

➡P.50

『精神科医がやっている聞き方・話し方』
益田裕介・著

➡P.49

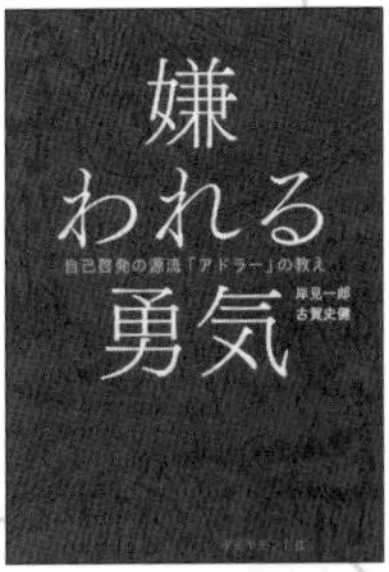

『嫌われる勇気
――自己啓発の源流「アドラー」の教え』
岸見一郎、古賀史健・著

➡P.54

『ACT 不安・ストレスとうまくやるメンタルエクササイズ』
武藤崇・著

➡P.56

『不安な自分を救う方法』
柳川由美子・著

➡P.57

『私は私のままで生きることにした』
キム・スヒョン・著、吉川南・訳

➡P.59

『マンガでわかりやすい
ストレス・マネジメント』
ストレスを味方にする心理術
大野裕・監修

➡P.62

元自衛隊メンタル教官が教える
『心を守るストレスケア』
下園壮太・著

➡P.64

『やっぱり、それでいい。』
人の話を聞くストレスが
自分の癒しに変わる方法
細川貂々、水島広子・著

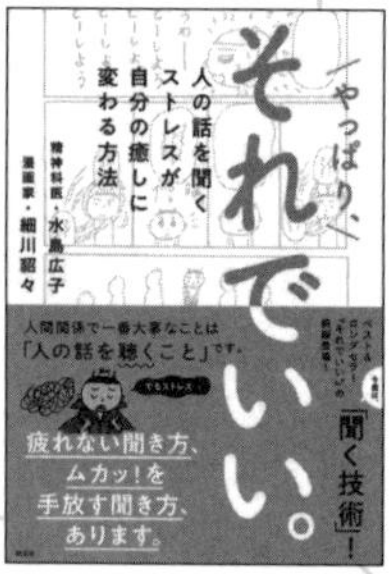

➡P.65

『なんでも見つかる夜に、
こころだけが見つからない』
東畑開人・著

➡P.66

『こころが晴れるノート』
うつと不安の認知療法自習帳
大野裕・著

➡P.70

『図解ストレス解消大全』
科学的に不安・イライラを消す
テクニック100個集めました
堀田秀吾・著

➡P.72

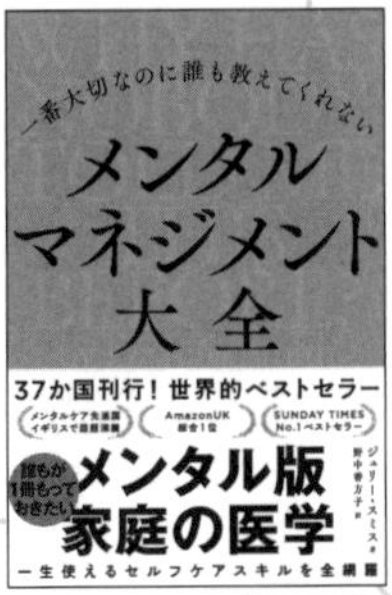

一番大切なのに誰も教えてくれない
『メンタルマネジメント大全』
ジュリー・スミス・著、野中香方子・訳

➡P.72

どうしようもなく
仕事が「しんどい」あなたへ
『ストレス社会で「考えなくていいこと」リスト』
井上智介・著

➡P.73

『セルフケアの道具箱』
ストレスと上手につきあう
100のワーク
伊藤絵美・著

➡P.76

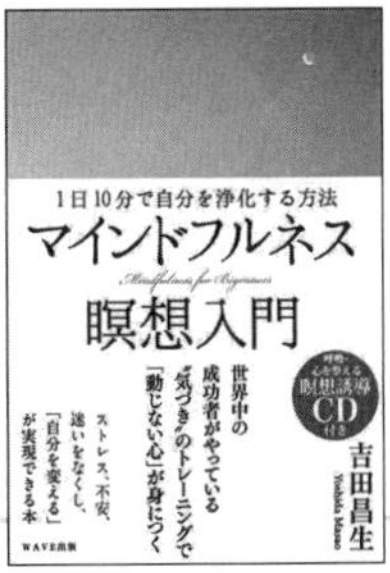

1日10分で自分を浄化する方法
『マインドフルネス瞑想入門』
吉田昌生・著

➡P.77

『精神科医が見つけた3つの幸福』
最新科学から最高の人生をつくる方法
樺沢紫苑・著

➡P.79

『幸せのメカニズム』
実践・幸福学入門
前野隆司・著

➡P.80

『歩くとなぜいいか？』
大島清・著

→P.86

『順天堂大学医学部　健康スポーツ室式　長生き部屋トレ』
順天堂大学医学部附属順天堂医院
健康スポーツ室・監修

→P.88・91

死ぬまで歩けるからだの使い方
『100年足腰』
巽一郎・著

→P.89

"歩く力"を落とさない！
『新しい「足」のトリセツ』
下北沢病院医師団・著

→P.90

国立大教授が教える
最高の若返りメソッド
『長生き1分片足立ち』
伊賀瀬道也・著

→P.94

『姿勢の本』
――疲れない！　痛まない！
不調にならない！
山口正貴・著

→P.96

『30日で白Tシャツの似合う私になる』
森拓郎・著

→P.98

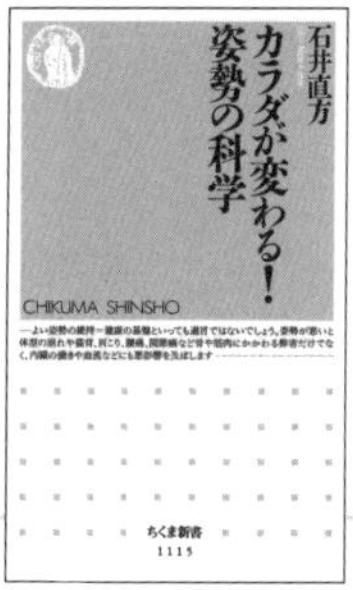

カラダが変わる！
『姿勢の科学』
石井直方・著

→P.99

安い・美味しい・簡単
『実践 健康食』
岩田健太郎・著

→P.102

『世界一シンプルで科学的に証明された究極の食事』
津川友介・著

→P.104

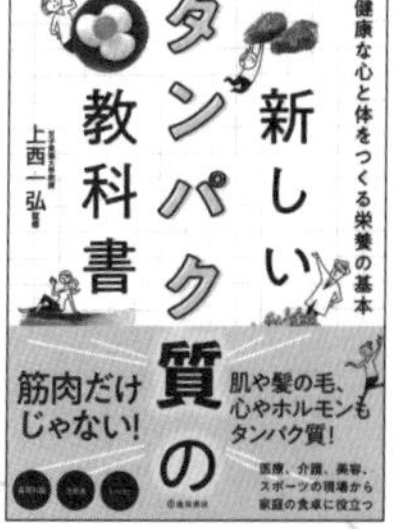

健康な心と体をつくる栄養の基本
『新しいタンパク質の教科書』
上西一弘・監修

→P.105

サクッとわかるビジネス教養
『栄養学』
飯田薫子・監修

→P.106

『他者と生きる』
リスク・病い・死をめぐる人類学
磯野真穂・著

→P.110

『なぜヒトだけが老いるのか』
小林武彦・著

→P.111

『科学的に幸せになれる脳磨き』
岩崎一郎・著

→P.113

『こころの匙加減』
100歳の精神科医が見つけた
髙橋幸枝・著

→P.113

CHAPTER 3

ボケない脳を育てる本

『認知症世界の歩き方』

筧裕介・著

➡P.118

『脳を司る「脳」』
最新研究で見えてきた、驚くべき脳のはたらき

毛内拡・著

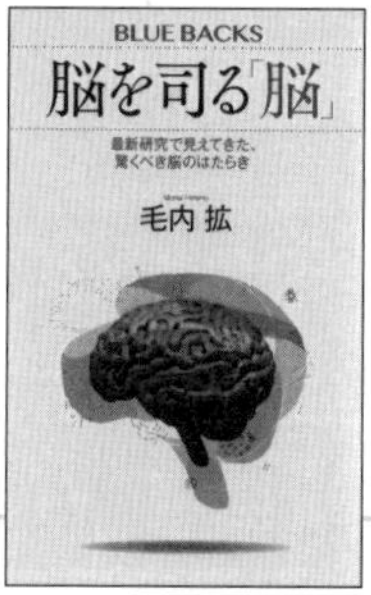

➡P.120・122

『「心の病」の脳科学』
なぜ生じるのか、どうすれば治るのか

林（高木）朗子、加藤忠史・編集・著

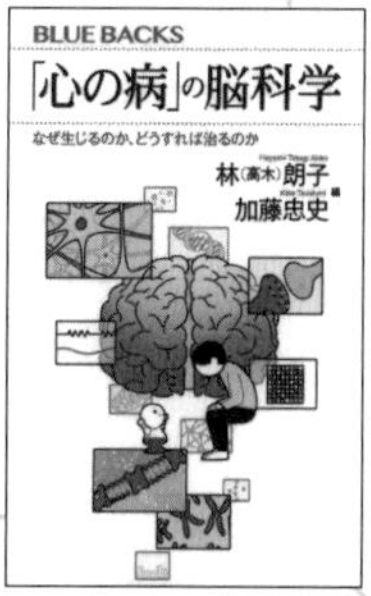

➡P.121

『図解　鎌田實医師が実践している　認知症にならない29の習慣』

鎌田實・著

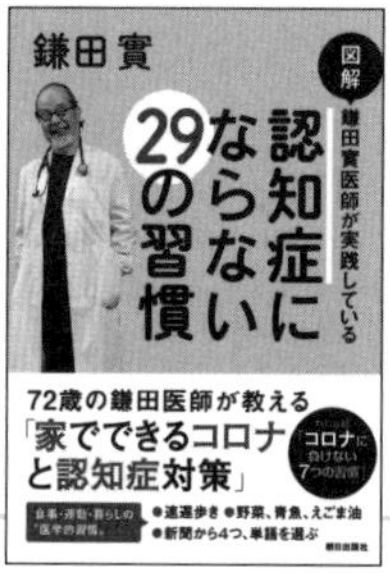

➡P.122

『脳の強化書』

加藤俊徳・著

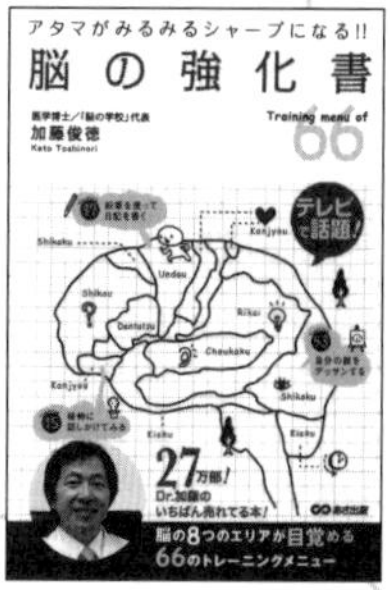

➡P.126

『80歳でも脳が老化しない人がやっていること』

西剛志・著

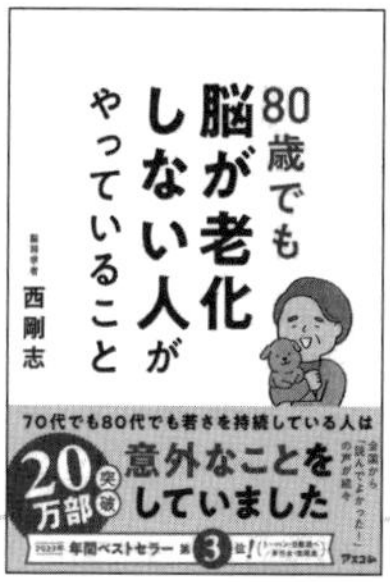

➡P.127

91歳の現役医師がやっている『一生ボケない習慣』

松原英多・著

→P.129

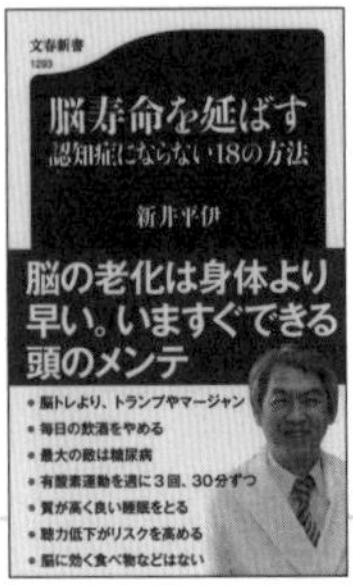

『脳寿命を延ばす』認知症にならない18の方法

新井平伊・著

→P.130

『脳を鍛えるには運動しかない!』最新科学でわかった脳細胞の増やし方

ジョンJ・レイティほか・著、野中香方子・訳

→P.134

『やってはいけないウォーキング』

青柳幸利・著

→P.135

『改訂版 認知症予防運動プログラム コグニサイズ®入門』

島田裕之・監修／編著、土井剛彦・指導／著

→P.137

『崑ちゃん90歳 今が一番、健康です!』

大村崑・著

→P.139

→P.142

ポケット介護
『楽になる認知症ケアのコツ』
山口晴保ほか・編集、
大誠会認知症サポートチーム・著

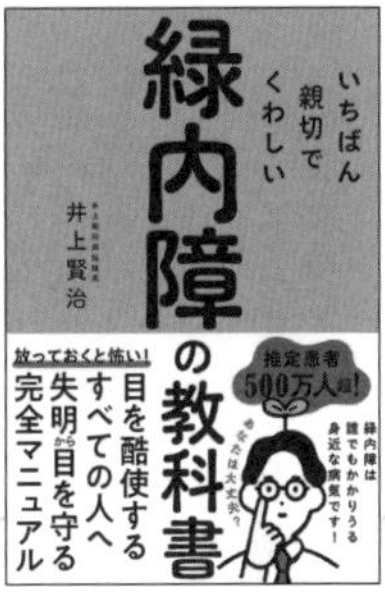

→P.143

『いちばん親切でくわしい
緑内障の教科書』
井上賢治・著

→P.144

『毎日耳トレ!』
1ヵ月で集中脳・記憶脳を鍛える
[CD付]
小松正史・著、白澤卓二・監修

→P.145

『肺炎がいやなら、
のどを鍛えなさい』
西山耕一郎・著

CHAPTER 4

健康寿命を延ばすための本

最新予防医学でここまでわかった
『50歳からの病気にならない最強の食生活』
森勇磨・著

→ P.150

『HEALTH RULES ヘルス・ルールズ』
病気のリスクを劇的に下げる健康習慣
津川友介・著

→ P.151

60歳を過ぎても血管年齢30歳の名医が教える
『「100年心臓」のつくり方』
池谷敏郎・著

→ P.153

『ズボラでも中性脂肪とコレステロールがみるみる下がる47の方法』
岡部正・著

→ P.155

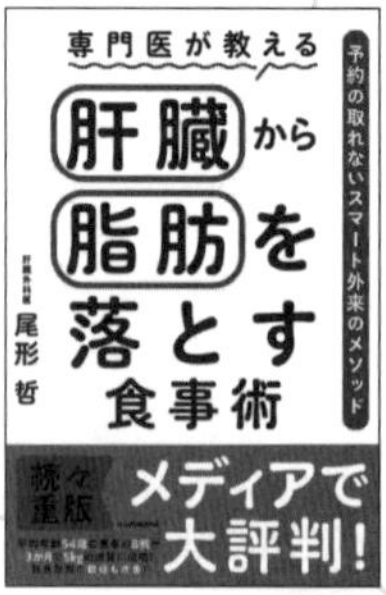

予約の取れないスマート外来のメソッド
『専門医が教える肝臓から脂肪を落とす食事術』
尾形哲・著

→ P.158

『不調を治す血糖値が下がる食べ方』
石黒成治・著

→ P.161

『人生を変える健康学』
がんを学んで元気に100歳
中川恵一・著

➡P.162

『1週間で勝手に痩せていく体になるすごい方法』
栗原毅・著

➡P.163

『人生100年時代
歯を長持ちさせる鉄則《ルール》』
――健口と健康の3原則
魚田真弘・著

➡P.166

認知症専門医が教える!
『脳の老化を止めたければ
歯を守りなさい!』
長谷川嘉哉・著

➡P.167

『100歳まで自分の歯を残す
4つの方法 改訂新版』
齋藤博・著、木野孔司・監修

➡P.169

東京医科歯科大学を首席卒業した
名医が教える
『世界の一流はなぜ歯に
気をつかうのか』
――科学的に正しい歯のケア方法
森下真紀・著

➡P.170

『視力を失わない生き方
日本の眼科医療は間違いだらけ』
深作秀春・著

→ P.174

『老眼　近視　乱視　遠視も
治せる　白内障手術のすべて』
一生「見えにくい」から解放される
赤星隆幸・著

→ P.176

『緑内障　眼科医の私が患者な
らこう対処！　名医が教える
最新1分習慣大全』
中元兼二ほか・著

→ P.177

『視力防衛生活』
綾木雅彦・著

→ P.179

『朝までぐっすり！
夜中のトイレに起きない方法』
平澤精一・著

→ P.183

『働く50代の快眠法則』
角谷リョウ・著

→ P.185

『健康になる技術　大全』
林英恵・著

→P.185

『無意識さんの力でぐっすり眠れる本』
大嶋信頼・著

→P.186

『怖いけど面白い予防医学』
森勇磨・著

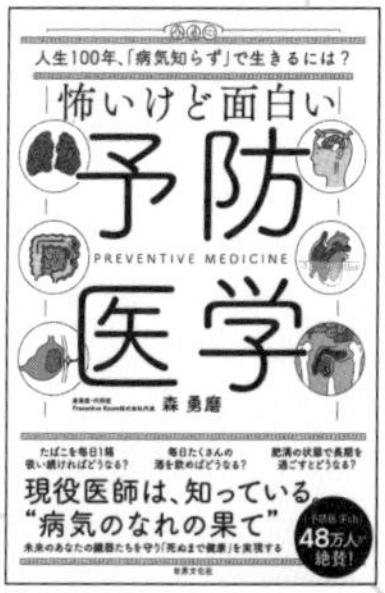

→P.191

『病気にならない食う寝る養生』
予約の取れない漢方家が教える
櫻井大典・著

→P.192

『わがまま養生訓』
鈴木養平・著

→P.193

『新版　呼吸の本』
加藤俊朗、谷川俊太郎・著

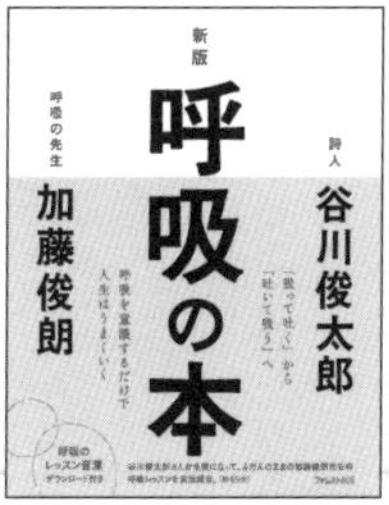

→P.193

『治療では遅すぎる。』
ひとびとの生活をデザインする
「新しい医療」の再定義
武部貴則・著

➡P.198

『認知症は予防が9割』
ボケない7つの習慣
森勇磨・著

➡P.200

『科学的に正しい認知症予防講義』
浦上克哉・著

➡P.201

『死ぬときに後悔すること25』
大津秀一・著

➡P.203

『「食事」を正せば、病気、不調知らずのからだになれる』
ふるさと村のからだを整える「食養術」
秋山龍三、草野かおる・著

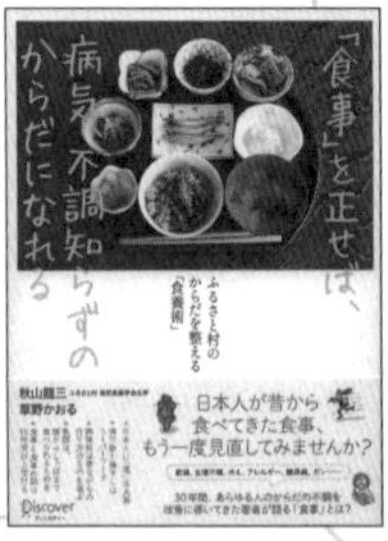

➡P.206

『健康長寿の人が毎日やっている心臓にいいこと』
――心臓専門医が教える!
別府浩毅・著

➡P.208

『ボケ日和』

わが家に認知症がやって来た！
どうする？ どうなる？

長谷川嘉哉・著

→P.209

『老人性うつ』

気づかれない心の病

和田秀樹・著

→P.210

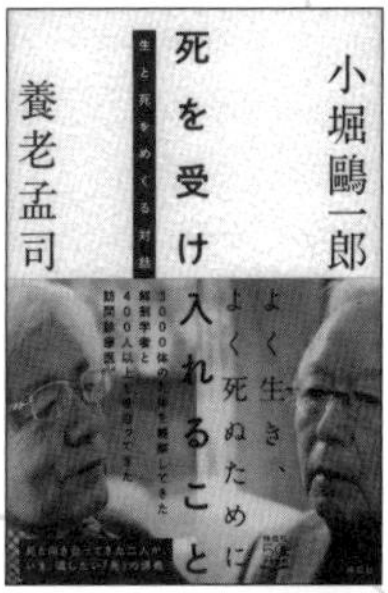

『死を受け入れること』

生と死をめぐる対話

養老孟司、小堀鷗一郎・著

→P.215

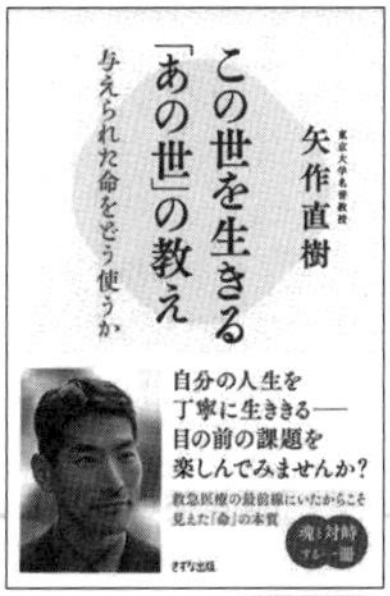

『この世を生きる「あの世」の教え』

――与えられた命をどう使うか

矢作直樹・著

→P.216

『ボクはやっと認知症のことがわかった』

自らも認知症になった専門医が、日本人に伝えたい遺言

長谷川和夫、猪熊律子・著

→P.217

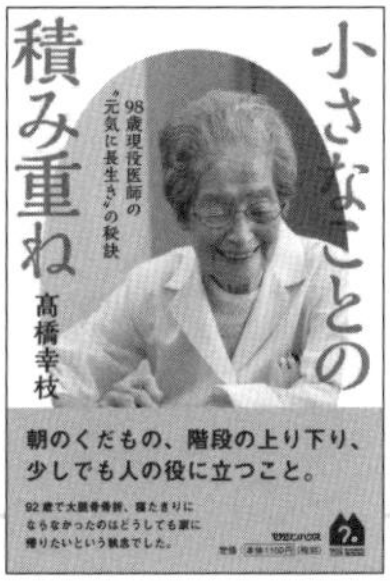

『小さなことの積み重ね』

98歳現役医師の〝元気に長生き〟の秘訣

髙橋幸枝・著

→P.219

COLUMN

コラムで紹介する本

『9000人を調べて分かった腸のすごい世界』
強い体と菌をめぐる知的冒険
國澤純・著

→P.82

『脳はバカ、腸はかしこい』
藤田紘一郎・著

→P.82

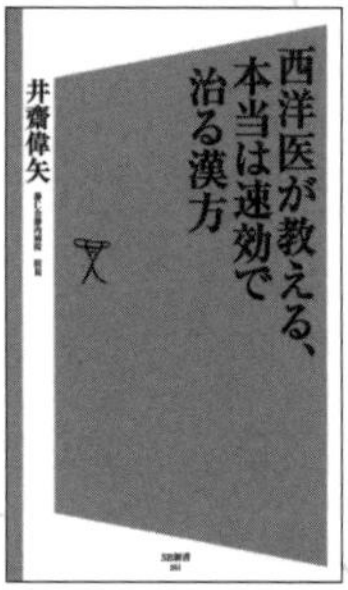

『西洋医が教える、本当は速効で治る漢方』
井齋偉矢・著

→P.114

NHK出版　学びのきほん
『からだとこころの健康学』
稲葉俊郎・著

→P.114

5人の名医が脳神経を徹底的に研究してわかった
『究極の疲れない脳』
内野勝行ほか・著

→P.146

最新版
『「脳の栄養不足」が老化を早める！』
溝口徹・著

→P.146

『40歳からの予防医学』
医者が教える
「病気にならない知識と習慣74」
森勇磨・著

→P.194

『日本人の食事摂取基準（2020年版）』
伊藤貞嘉、佐々木敏・監修

→P.194

「幸せな長生き」とはいつまでも自分らしく生きられること

人生100年時代と言われる一方で、長く生きれば何かとリスクが増えるという「長生きリスク」という言葉も耳にするようになってきました。

長生きは素晴らしいことですが、病気を患いながら、入院生活を続けながら、寝たきりになりながら長く生きたいわけではないと思います。

みなさんが望むのは、健康なまま長生きすることですよね。

しかも、いくつになっても自分の足で自由に歩けて、会話を楽しみ、好きなものを食べられる。そんな暮らしを続けること。

そして、長く生きれば悲しい別れに不安になることもあるかもしれませんが、不安を抱えたまま生きるのではなく、心穏やかに生きられること。

この本は、100年でも、それ以上でも、心も体も健康に生きるためには何が大切なのか、100冊のベストセラー健康書をひも解き、健康長寿の秘訣をまとめようというものです（ご協力くださった著者の先生方、出版社の方々、本当にありがとうございます）。

一般的に「歳のせい」と思われているような不調でも、実は何歳からでも改善できるものは少なくありません。

わかりやすいのが、筋肉です。歳をとると筋肉が衰え、足腰が弱まりやすいのは真実ですが、筋肉はいくつになっても鍛えられます。ですから、すでに健康不安を抱えている方も、「歳のせい」と諦めている不調がある方も、この本で知識を得て、「100年の幸福長寿」を目指してほしいと思います。

改めまして、医師の森勇磨と申します。産業医・内科医として働く傍ら、「すべての人に正しい医学知識を」をモットーに「予防医学チャンネル」というユーチューブチャンネルや書籍で情報発信をしています。

医療や健康に関する情報はネット、テレビ、雑誌、書籍と巷にあふれていますが正しいものばかりではありません。正直なところ、以前、大学病院の救急救命現場にいた頃は、本の世界もひどい情報ばかりだと嘆いていました。

ところが、今回、編集部とともに100冊の健康書を選ぶなかで、この2、3年で随分変わってきたことを感じました。

「ん?」という健康書もいまだにありますが、たとえば、100冊のうちの1冊『健康になる技術　大全』(ダイヤモンド社)のようにしっかりとしたエビデンス(科学的根拠)をもとに書かれ、しかも500ページ近くもある本が多くの人に読まれるようになっています。それだけ、エビデンスのある健康情報が求められるようになってきたのかなと思います。

ちなみに、健康法にはヒットとホームランがあります。

エビデンスは〝平均値〟(2つのグループがあって、その平均を比べたときに差があるか）であって、エビデンスのある健康法はいわば〝ヒットを打てる確率が高いもの〟です。一方で、ホームランが打てるものは、実はエビデンスのないもののなかに隠れていることがあります。

といっても、エビデンスは大事です。万人にとってヒットを打ちやすいのですから、まず取り入れるべきはエビデンスのある健康法といえるでしょう。

特に、体の健康を保ち、病気を防ぐ健康習慣は、豊富なエビデンスをもとに正解がだいたい決まっています（加工肉の食べすぎが一部のがんを増やすのは確実など）。なおかつ、「これさえやれば大丈夫」というものはないのでヒットを積み重ねる意識が大事です。ですから、CHAPTER 2以降は、無理なくできそうな健康習慣をなるべく多く取り入れてもらえたらうれしいです。

一方、メンタルケアや睡眠改善法などはそもそも正解が一つではなく、相性が大きい分野です。そういうものは、推奨されていることを1、2個試して効果が得られなくても、諦めずにいろいろと試してみて、自分にとってのホームランを見つけてほしいと思います。

森　勇磨

CONTENTS
もくじ

CHAPTER 2

100歳まで自力で歩く!

『動ける体』のつくりかた

CHAPTER 3

本当に正しい『健やかな脳』の保ちかた

CHAPTER 4

寿命をどこまでも延ばす!

『最強の健康習慣』

CHAPTER 5

100歳までしたたかに図太く生きる！ すごい『考えかた』

CHAPTER 1

健やかな心なくして
長生きなし！

健康寿命を延ばす「メンタルケア」

心の不調は体の不調を引き寄せる

ストレスの正体がわかる4冊

『ストレスに負けない生活
──心・身体・脳のセルフケア』
熊野宏昭／ちくま新書／2007

ストレスには「我慢する系」と「耐える系」がある、責任転嫁はストレス反応を強める。ハッとする視座と、ストレスから自由になる方法が得られる良書。

『眠れなくなるほど面白い
図解　ストレスの話』
ゆうきゆう／日本文芸社／2021

ストレスに強い人と弱い人の差は何か、悪口を言われたときにはどう対処するのがベターか。ストレスにまつわるアレコレをサクッと教えてくれる。

『おひとりさまの老後』
上野千鶴子／法研／2007

おひとりさまの老後のお金、孤独、お墓……。誰もが一人になり得る時代、漠然とした不安に軽妙な語り口で明かりを灯してくれる大ベストセラー。

『HAPPY STRESS（ハッピーストレス）
ストレスがあなたの脳を進化させる』
青砥瑞人／SBクリエイティブ／2021

ストレスを味方につけるには、自己に書き込む情報の取捨選択が大事。脳や体のしくみを知った上で、最高の人生を導く合理的コツを身につけたい人に。

ストレスは体と心のバランスを崩す

「何かストレスはありますか？」と聞かれれば、一つや二つ、パッと思い浮かぶ人がほとんどだと思います。では、「ストレスのサインにちゃんと耳を傾けていますか？」と聞かれたら、どうでしょう？

多少のストレスはしょうがない、我慢すればいい。そう思うかもしれませんが、ストレスが影響するのは心だけではありません。ストレスは体の不調も引き寄せ、この本のテーマである、「１００年長生き」にもかかわるのです。

われわれの身体や心は常に一定のバランスを保つように調整されていますが、そのことをホメオスタシス（恒常性）の維持という言葉で表現します。ストレスとはこのホメオスタシスを崩す力を持つものであり、そのため健康の大敵になるのです。

『ストレスに負けない生活――心・身体・脳のセルフケア』より

これは、医師であり公認心理師でもある熊野宏昭さんの著書『ストレスに負けない生活』の一節です。

私たちの体は、交感神経と副交感神経からなる「自律神経系」、ホルモン分泌にかかわる「内分泌系」、体内に侵入する異物を排除する「免疫系」の3つがある程度自律的に働き、ちょうどよい状態を保っています。

ところが、**ストレスがたまった状態が続くと、この微妙なバランスが崩れてしまい、自動的には立て直せない状態になってしまう**、と熊野さんは書きます。

みなさんも、緊張すると下痢をするなど、心の状態が体に影響することは幾度となく経験しているでしょう。このようにストレスが一定の閾値《いきち》を超えると体の症状として出てくることは「心身症」と呼ばれ、よくあることなのです。

人生の出来事のなかでも、大きなストレスをもたらす一つが死別、特に配偶者との死別でしょう。2007年に出版され、今でも読み継がれている上野千鶴子さんの『おひとりさまの老後』では、「妻を亡くすと、男はがたがたにくずれる」と、文芸評論家の江藤淳さんの例が紹介されています。

文芸評論家の江藤淳さんが妻に先立たれたあと1年もしないうちに自裁したことが報道されたが、これも愛妻のあと追いをしたというより、心身ともにつっかい棒を失った人生をもてあましたからであろう。

『おひとりさまの老後』より

ストレスを「悪」と考える人ほど死亡リスクが高いと証明されている

おひとりさまになっても豊かに生きる方法については『おひとりさまの老後』

を読んでいただくとして、ここではストレスをこじらせない、体の不調を引き寄せない方法を考えていきましょう。

まず、ストレスの体への現れかたにはいろいろなパターンがあります。

精神科医のゆうきゆうさんが監修した『眠れなくなるほど面白い 図解 ストレスの話』では、疲れているのになかなか寝つけない「入眠困難」や、何も異常はないのになぜか喉が詰まっているような感じがする「ストレスボール」、腸の病気がないのにお腹の不調が続く「過敏性腸症候群」などが、ストレスで起こりやすい症状として紹介されています。

一定以上のストレスがかかったときにどういう症状が起こりやすいのか、**自分のストレスのサインを知っておくと、「あ、頑張りすぎているな」「体に負荷がかかっているな」と早めに気づくことができます。**

さて、ここまではストレスの悪い面に注目してきましたが、ストレスにはよい面もあると語るのが、『HAPPY STRESS』の著者で応用神経科学者の青砥瑞人さんです。青砥さんは、ストレスの悪い面を「ダークストレス」、よい面を「ブライトストレス」と呼びます。

私たちを悩ませ、時には病や死をもたらすようなストレスが「ダークストレス」。一方で、苦難に立ち向かったときに、ストレスがかかっていたからこそ乗り越えられたときには大きな感動や学び、成長がもたらされることがあります。そうしたストレスを「ブライトストレス」と名づけます。

その上で、「ストレス＝悪」と考えることでストレスレベルが高まる、「ストレス＝学び」というマインドセットを持つことでストレスレベルが低下するという研究結果が出ていることを紹介します。

こうしたストレスの捉えかたについては、前述の『眠れなくなるほど面白い　図解　ストレスの話』でも触れられています。

スタンフォード大学の研究では、「強度のストレスがある」と答えた人の死亡リスクは43％も高くなっていることがわかりました。そして興味深いことに、「強度のストレスがある」と答えながら、「ストレスは体にとって必ずしも悪いものではない」と答えた人の死亡リスクは低くなっていることがわかったのです。

『眠れなくなるほど面白い　図解　ストレスの話』より

ストレスによって体調不良が出ている、それが続いているなど、過剰なストレスや長引くストレスは危険です。そうした「ダークストレス」は早めに対処し、防ぐことが大切、と『HAPPY STRESS』でも指摘されています。

では、ストレスのよい面に意識を向ける、あるいはストレスから心身の不調を引き起こさないためにはどうすればいいのでしょう？　具体的な方法を、次の項目から見ていきましょう。

長寿の真実

対人ストレスは自分を変えて対処する

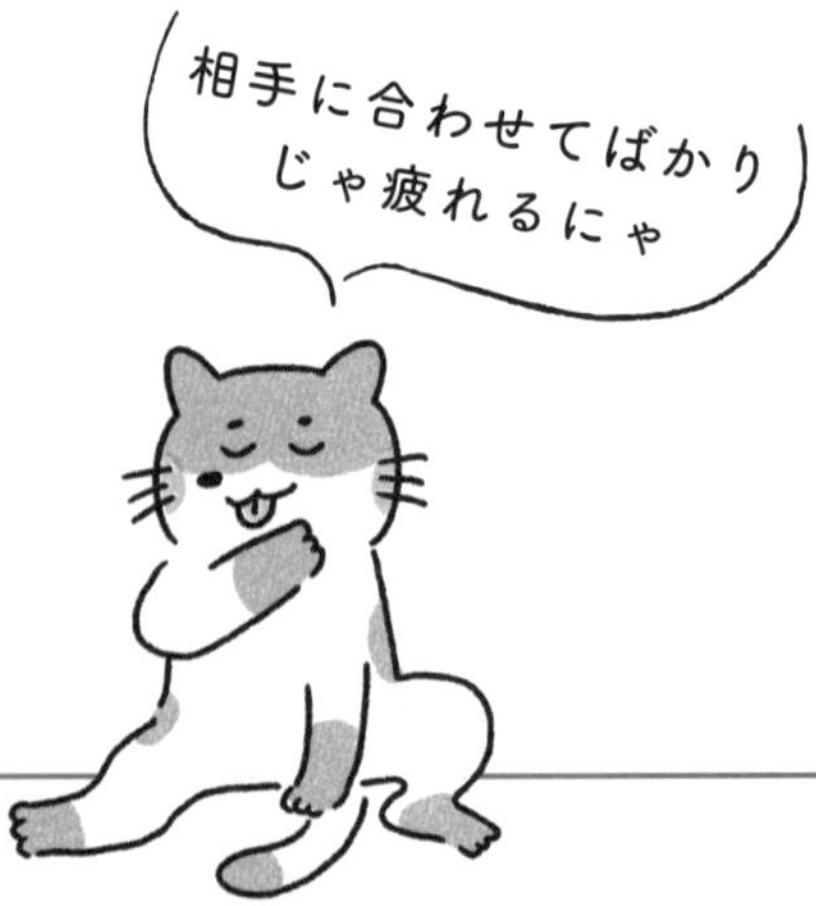
相手に合わせてばかりじゃ疲れるにゃ

対人ストレスが減る4冊

『イラスト&図解 知識ゼロでも楽しく読める！ 人間関係の心理学』

齊藤勇（監修）／西東社／2022

目に見える"行動"を手がかりに、見えない"心"をひも解く心理学。マウント、嘘、ひいき、ネット上の暴言など、よくある行動の裏にある心理を図解。

『なぜか人生がうまくいく「明るい人」の科学』

和田秀樹／クロスメディア・パブリッシング／2022

「○○になったらどうしよう」と先回りして暗くなっていないか。考えかたや見かた次第で受け止めかたは変えられる。軽やかに明るくいられるコツが満載。

『多分そいつ、今ごろパフェとか食ってるよ。』

Jam（著）、名越康文（監）／サンクチュアリ出版／2018

タイトルは人間関係に悩んでいる著者に友人がかけてくれた言葉。ゆるい4コママンガと短い文章で、心が疲れているときにも読みやすい。

『精神科医がやっている聞き方・話し方』

益田裕介／フォレスト出版／2022

精神科医は患者に信頼されるための技術を使って会話する、と著者。会話前の準備、自己理解・他者理解、聴きかた、話しかたの技術を事例を交えて紹介。

ストレスの多くは人間関係のなかで生まれる

日常生活のなかでストレスがたまる一番の原因が、人間関係のモヤモヤではないでしょうか。嫌なことを言われた、苦手な人がいる、初対面の人との会話が苦手、人の目が気になる――。

対人・社会心理学を専門とする心理学者の齊藤勇さんは『人間関係の心理学』の「はじめに」で、「人生の喜怒哀楽の多くは、人間関係の中で生まれます」と書いています。

私自身、産業医としても働くなかで、人間関係の悩みからストレスを抱えている人、その結果、心を病んでしまう人などを多数診てきました。対人ストレスがなくなれば、もっと軽やかに生きられるはずです。

対人ストレスについて、精神科医の和田秀樹さんは『なぜか人生がうまくいく「明るい人」の科学』で、対人関係に悩まなくて済めば自殺者も減るのではないか、と持論を投げかけています。

コロナ禍で失業率は悪化し、生活が一変したにもかかわらず自殺者が急増しなかったのは、リモートワークのおかげではないか。リモートワークによって会社に行かなくなり、嫌な上司や同僚、後輩たちと顔を合わせなくて済むようになったからじゃないか、と。

その真偽はわかりませんが、リモートワークが普及したことで気持ちがラクになった人は確かにいると思います。最近ではウェブ会議でカメラをオフにする人も多いです。それは、人の顔を見ることがストレスになるからでしょう。人の顔というのは情報量が多いのです。顔を見ると過去にされたことをつい思い出してしまうので、苦手な人の顔を見ただけで胃が痛くなる、なんてことがあるわけです。リモートワークやカメラオフを選ぶことで、気持ちがラクになるということは確かにあると思います。

ところで、なぜ人間関係に悩む人はこんなにも多いのでしょうか。前述の『人間関係の心理学』の齊藤さんはこう説明します。

人の心は、目に見えません。そのため、人の心の内が理解できず、人を傷つけたり、相手の言葉に傷ついたりすることも数多くあります。

『イラスト&図解 知識ゼロでも楽しく読める！ 人間関係の心理学』より

心は見えないために誤解が生じやすい、ということですね。

「いい人」「悪い人」は自分にとって都合のいい人・悪い人

登録者数50万人超のユーチューブチャンネル「精神科医がこころの病気を解

説するCh」を運営する精神科医の益田裕介さんは、著書『精神科医がやっている聞き方・話し方』で、「僕たちは、人間関係を無意識に加工している」と、人がやってしまいがちな〝加工〟として次の4つを紹介します。

①投影：相手も自分と同じ感情を抱いていると考えること
②転移：自分の過去の体験を相手に重ね合わせてしまうこと
③逆転移：相手の感情を自分の感情だと勘違いしてしまうこと
④投影同一視：自分の感情を他人に押しつけること

投影、転移といった専門用語こそ小難しいですが、いずれも、誰もがやってしまいがちなことです。たとえば、投影同一視は「自分がイライラして失敗しているとき、それを全部、相手のせいや世間のせいにしてしまうといったこと」と、益田さんは説明します。「あ、そういうことあるな」と、思い当たる人も多いのではないでしょうか。

益田さんは、これらのしくみを理解することで、相手に対する誤解が減り、〝悪い自分〟をさらけ出さずに済む、とアドバイスします。

投影、転移、逆転移、投影同一視の4つに共通するのは、自分が無意識に感じていることによって周りがゆがんで見えるということ。シンプルにいえば、**自分の捉えかた次第**ということです。

そのことをやわらかい4コママンガとともに教えてくれるのが、マンガ家のJamさんの『多分そいつ、今ごろパフェとか食ってるよ。』です。

「嫌な人や苦手な人がいる」という項目では、こんなふうに綴られています。

その人のことをジャッジできるのは、あくまで自分が知っている範囲だけです。

そう思うと、いい人悪い人とは、「今の自分にとって」都合のいい人悪い人なのかもしれません。

『多分そいつ、今ごろパフェとか食ってるよ。』よりまた、人からどう思われているかが気になって、周りの人が自分の悪口や噂話をしているような気がしてしまうときには、「『有名人じゃあるまいし（笑）』。それくらいのノリで流していきましょう」と、Ｊａｍさんは言います。

そう言われてもどうしても気になってしまう人もいると思います。そういう人は、益田さんの本を参考に、自分はなぜ気にしてしまうのか、自分のなかにあるどんな感情が周りをありのままに見ることを邪魔しているのか、自分自身で探ってみるといいでしょう。

他人を変えるには膨大なエネルギーが要りますから、自分の捉えかたを変えるほうが得策だと思います。ただ、その方法論には合う合わないがあります。ここではあえてタイプの違う本を紹介しました。いろいろな考えかたを知り、自分にとってしっくりくる方法を見つけてほしいと思います。

自分の価値を自分で認める

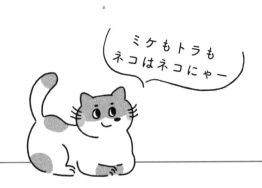

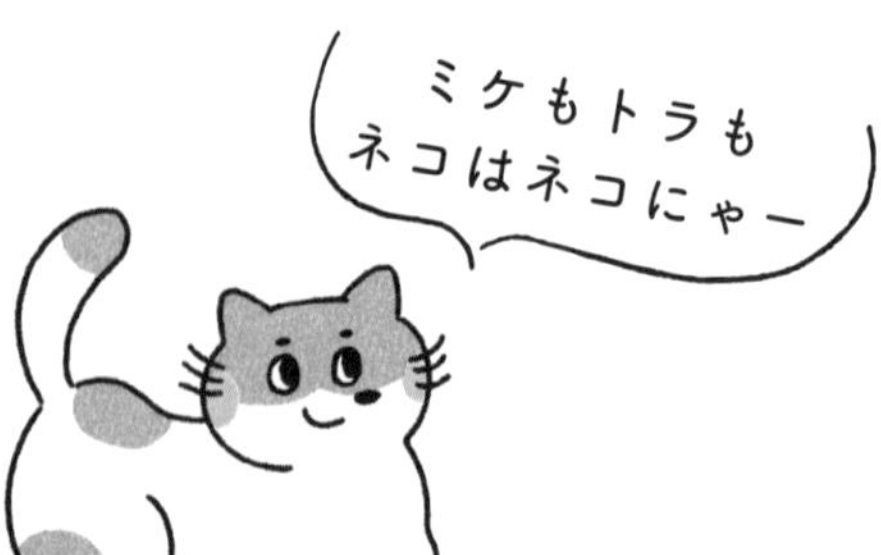
ミケもトラも
ネコはネコにゃー

自分嫌いがラクになる4冊

『嫌われる勇気
――自己啓発の源流「アドラー」の教え』
岸見一郎、古賀史健／ダイヤモンド社／2013

心理学の三大巨頭の一人アドラーの思想を哲人と青年の対話に。人はいつからでも変われる、幸せになれる。二人の問答を反すうするうちに視界が開ける。

『ACT 不安・ストレスとうまくやる
メンタルエクササイズ』
武藤崇／主婦の友社／2023

頭のなかで渦巻く言葉に人は囚われている。マイナスの感情に囚われない“しなやかな心”を育て、自分なりの価値に沿って生きるためのエクササイズ。

『不安な自分を救う方法』
柳川由美子／かんき出版／2022

8千人にカウンセリングを行った不安専門カウンセラーが、不安の種類ごとの適切なケア方法を伝授。ケアするほどに不安は小さくなるという。

『私は私のままで生きることにした』
キム・スヒョン（著）、吉川南（訳）／ワニブックス／2019

必要以上に人目を気にするあまり幸福度の低い日本と韓国。ごく普通の“私”が他人を妬むことなく、ありのままの自分として生きていくための指南書。

感情はコントロールできない
でも、行動はコントロールできる

突然ですが、自分の人生に満足していますか？　自分は価値ある人間だと感じられていますか？

人生は長さだけではなく、質も大事にしたいもの。その意味では「**自分の人生、悪くないな」と肯定的に捉えられるかどうかは大事なポイント**です。ところが、さまざまな調査で日本人は総じて自己肯定感が低いという結果が出ています。なぜでしょうか？

大ベストセラーの『嫌われる勇気』は、アドラー心理学の第一人者である哲学者の岸見一郎さんとライターの古賀史健さんの共著で、哲人と青年の対話形式で物語が進みます。そのなかで、自分のことが嫌いだ、どうやっても短所しか見当たらないと話す青年に、哲人がこう語りかけるシーンがあります。

あなたは他者から否定されることを怖れている。誰かから小馬鹿にされ、拒絶され、心に深い傷を負うことを怖れている。そんな事態に巻き込まれるくらいなら、最初から誰とも関わりを持たないほうがましだと思っている。つまり、あなたの「目的」は、「他者との関係のなかで傷つかないこと」なのです。

『嫌われる勇気——自己啓発の源流「アドラー」の教え』より

自分を肯定できないのは、そうすることで他者から拒絶されて傷つくことから自分の身を守っているんだ。そう、哲人は青年に説くわけです。

でも、誰しもできることなら自分を肯定したいでしょう。アドラー心理学では「人は今この瞬間から変われるし、幸福になることができる」と考えます。

それなのになぜ人は「変われない」と思うのか。それは、自分自身が「変わらない」という決心を繰り返しているから。自分が新しいライフスタイルを選べば、今すぐにだって変わることができる。でも、新しい思考や行動に一歩踏み出すには勇気が要ります。このままの自分に不満はいろいろあっても、変わろうとすることで生まれる不安のほうが怖い。つまり、変われないのは「幸せになる勇気」が足りていないからだ、とアドラー心理学は教えてくれるのです。

「自分なんてダメだ」と思って、不安に苛《さいな》まれて身動きが取れない――。

そうしたとき、実際の臨床現場ではさまざまなアプローチが行われますが、最近普及してきた新しい心理療法に「ＡＣＴ（アクト）」というものがあります。「アクセプタンス＆コミットメント・セラピー」の略です。

このＡＣＴを本のなかで実践しようと試みるのが、公認心理師の武藤崇さんの『ＡＣＴ　不安・ストレスとうまくやる　メンタルエクササイズ』です。

喜怒哀楽は突然やってくるもので感情のコントロールなんてできない、と武藤さんは言います。同じように、他人の言動、過去の出来事、それにともなうつらい記憶も自分でコントロールすることはできません。**でも、「それにどう反応するか」はコントロールでき、「感情的な行動を抑えることはできる」**と、武藤さんは教えてくれます。

ACTは、絶えず湧いてくる感情や思考から距離を取り、それらを受け止めた上で、心の声に惑わされずに、自分が大切だと思うことを実行できるような〝しなやかな心〟を育てていくための心理療法です。

武藤さんも「瞬時に結果が見えるものではない」と書いているように、クリニックなどでは数か月かけてやっていきます。ですから、本を参考にACTに取り組む場合も、焦らず、ゆっくりと向き合ってもらえればと思います。

「私なんてダメだ」と不安になったときのとっておきの方法

一方、不安専門カウンセラーの柳川由美子さんの『不安な自分を救う方法』では、簡単ですぐにできる「不安を消し去る方法」が紹介されています。

たとえば、自分に自信が持てなくて不安なときに「効果抜群の方法」として まず紹介されるのが、両手を胸の前でクロスさせて二の腕を上下にさすり、自分に対して「頑張っているね」などと思いやりやねぎらいの言葉をかけてあげること。これだけで不安が軽くなる、と柳川さんは言います。

また、「自己肯定感が高い＝ポジティブ」と思うかもしれませんが、**「ネガティブな自分も、弱い自分も、受け入れられるのが自己肯定感」『ダメな自分もOK!』と気楽に認められると、心はしなやかに、強くなります**」と、エールを送ります。

あるいは、「自分はダメだ」「うまくやれていない」と感じる裏側には、完璧主義が隠れているのかもしれません。何でも完璧にこなそうとして「〜ねばならない」と考えている自分に気づいたら、「〜できたらいいね」と言い直すこと、と柳川さん。そんなふうに考えかたに「ゆるみ」を持たせると、自分を責める心の声が次第に消えていく、とのこと。

最後にもう一冊、韓国でミリオンセラーとなり、日本でも50万部を超えるロングセラーとなっている、キム・スヒョンさんのイラストエッセイ『私は私のままで生きることにした』からの引用を。

自分のことをきちんと考えられないまま、他人と社会の見方にずるずると引きずられながら生きていても、自尊心を育むことはできない。だから、確固たる自尊心をもつための最初の一歩は、はっきりしている。
「自分らしく生きること」

『私は私のままで生きることにした』より

自尊心は、自分の信念をもとに自分の生き方を選択、行動し、責任を負うという一連の流れのなかで手にする「内面の力」だ、とスヒョンさんは言います。
アドラー心理学の幸せになる勇気を持つという考えにも通じますね。

人に話を聴いてもらうにもコツがいる

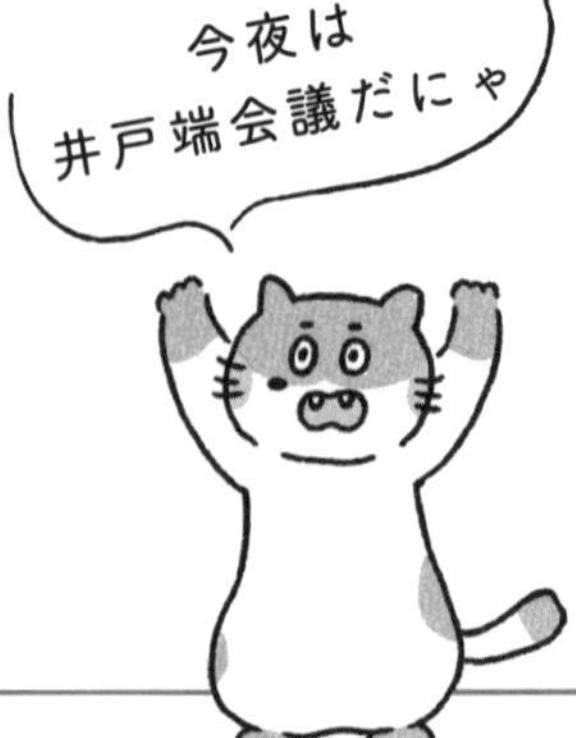
今夜は
井戸端会議だにゃ

── モヤモヤを対処する4冊 ──

『マンガでわかりやすい　ストレス・マネジメント　ストレスを味方にする心理術』

大野裕（解説・監修）／きずな出版／2016

ダメな自分、考えかたの違う部下、一人で抱え込んでしまう性格、自分らしさがわからない。よくあるストレスへの対処法をマンガと解説で教えてくれる。

『元自衛隊メンタル教官が教える
心を守るストレスケア』

下園壮太／池田書店／2021

疲れているのに休まないのはなぜ？　「しがみつき」は本当に必要？　誤ったストレス解消法でストレスを増やしている現代人に、休養の大切さを説く。

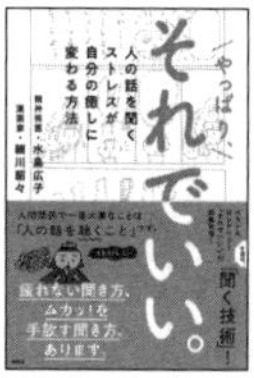

『やっぱり、それでいい。人の話を聞くストレスが自分の癒しに変わる方法』

細川貂々、水島広子／創元社／2018

人間関係で一番大事なのは聴くこと。自分のことを考えずに相手の現在に集中して聴く。それだけで安心感を与え、コミュニケーション上手になる。

『なんでも見つかる夜に、
こころだけが見つからない』

東畑開人／新潮社／2022

「小舟化（個人化）する社会」と著者。カウンセリングの物語を挟みつつ、読者が心を整理し、新たな角度で自分と世界を見られるよう手助けしてくれる。

パッと浮かんだ解決策は自分になじみのある方法

悩みや心配事、寂しさ、不安がどっと押し寄せてくる夜を経験したことのある人は多いでしょう。もしかしたら、今まさにそんな夜の真っ只中かもしれません。なぜ夜になると不安感が増すのか。そのはっきりとした理由はわかりませんが、もしかしたら日中は外に向かっていた意識が、夜になって副交感神経が優位になっていくにつれて内省的になっていくのかもしれません。いずれにしても、夜は頭のなかで不安感が増幅されやすい時間帯と心得て、早く寝ることをおすすめします。

さて、モヤモヤと思い悩んだときに一人で頑張りすぎる人は要注意と助言するのが、『マンガでわかりやすい　ストレス・マネジメント』の解説・監修者で精神科医の大野裕さんです。

自分一人ではどうすることもできないときには、
（1）他の人の力を借りて、一緒に取り組めば解決できるかもしれない
（2）他の人に相談すれば新しいアイディアが出てくる可能性があるかもしれない
と考えると、気持ちが楽になります。

『マンガでわかりやすい　ストレス・マネジメント　ストレスを味方にする心理術』より

大野さんは問題を抱えたときの大切な考えかたとして、①数の法則＝できるだけ多くの解決法を考えてみること、②判断遅延の法則＝その解決法がよいかどうかの判断は解決法を全部考え出したと思えるまで先延ばしにすることの二つを紹介します。

なぜこの二つが大事なのかというと、私たちは問題から早く自由になりたいがために、すぐに結論を出したがり、かつ、最初に浮かんだ解決法が一番よい

ものと思い、ほかの方法を考えない傾向があるから、と大野さん。でも、「最初に浮かぶということは、それだけ自分になじみがある解決法だ」とも。**従来の方法だけではなく、多くの方法を検討したほうが当然解決の可能性は上がるので、そのためにも人に相談することは有益なのです。**

ただし、相談相手からの何げないアドバイスがかえってストレスを悪化させる場合もある、と注意を促すのが、『元自衛隊メンタル教官が教える　心を守るストレスケア』の下園壮太さんです。

たとえば、「気にしなきゃいいじゃない」とアドバイスされて「気にしている自分はダメなんだ」と感じてしまったり、「○○をしてみたら?」とすすめられて、これまでやってきたことを否定されたと考えてしまったり……。

確かに、相談したものの相手からのアドバイスが腑《ふ》に落ちず、モヤッとすることはありますよね。特に自分のなかにうっすら答えが出ていてそれを確認する作業として相談した場合には、予期せぬ答えが返ってくるとかえってモヤモヤしてしまうかもしれません。

ただ、「自分がピンチのときには、感情を伝えたいという伝達欲求が大きくなり」、それがちゃんと相手に伝わると、それだけでスッキリするので、「**話をさえぎらずに、じっくりと耳を傾けてくれる人に聞き役をお願いしましょう**」と下園さんは言います。つまり、打ち明ける相手を選ぶということ。

アドバイスは明確でわかりやすいが合う合わないがある

一方、聴きかたの大切さを教えてくれるのが、マンガ家の細川貂々さんと精神科医の水島広子さんの共著『やっぱり、それでいい。』です。

水島さんは、本のなかで「アティテューディナル・ヒーリング（AH）」という手法をすすめます。これは自分の責任で心の姿勢（アティテュード）を選び取っていくというものです。

「自分の余計な思考をなくして相手の現在に集中して話を聴く」「何か思考が浮かんできたら気づく　その思考を脇に置く」。それが、水島さんがすすめるＡＨの聴きかたです。

・・・・・・・

相手の話をよく聴かなかったら　相手が本当に言いたいことがわからない
ちゃんと聴くために　頭の中の雑念に気づいて取り除く作業をするんです

『やっぱり、それでいい。人の話を聞くストレスが自分の癒しに変わる方法』より

・・・・・・・

『やっぱり、それでいい。』で書かれているのは、どちらかというと相談を受けた側の聴きかたの話ですが、聴く耳を持つ、聴く体をつくるという意味でも参考になります。**聴いたことをすべて受け入れたり、肯定したりする必要はなく、いったん聴いてみる。いろいろな考えかたを聴いてみて、そこから何を選ぶかは自分次第です。**

公認心理師の東畑開人さんは、著書『なんでも見つかる夜に、こころだけが

見つからない』で、暗闇に一人で放り出され、人生を暗中模索せざるを得なくなったときに、寄る辺《よるべ》ない小舟でなんとか航海を続けていくためには何らかのサポートが必要で、「そのサポートには二種類ある」と書いています。

一つは「あっちの方角に向かえばいい」と、明確な指針をもたらしてくれる〝心の処方箋〟。こうしたアドバイスは明確でわかりやすい一方、合う合わないがあります。

そこで、東畑さんがもう一つ挙げるサポートが〝心の補助線〟です。複雑な図形に補助線を引くと、シンプルな形に分割され、それを足し合わせると全体が把握できます。心の補助線も同じで、複雑な心のなかにどういう思いがあって、自分がどう葛藤しているのかが、補助線で分けることで見えてくる、と東畑さんは言います。

モヤモヤを解決するために人の話を聴くときには、アドバイスを求めるというより、心の補助線を探す意識を持つといいかもしれませんね。

長寿の真実

「その場しのぎ」が長生きのコツ

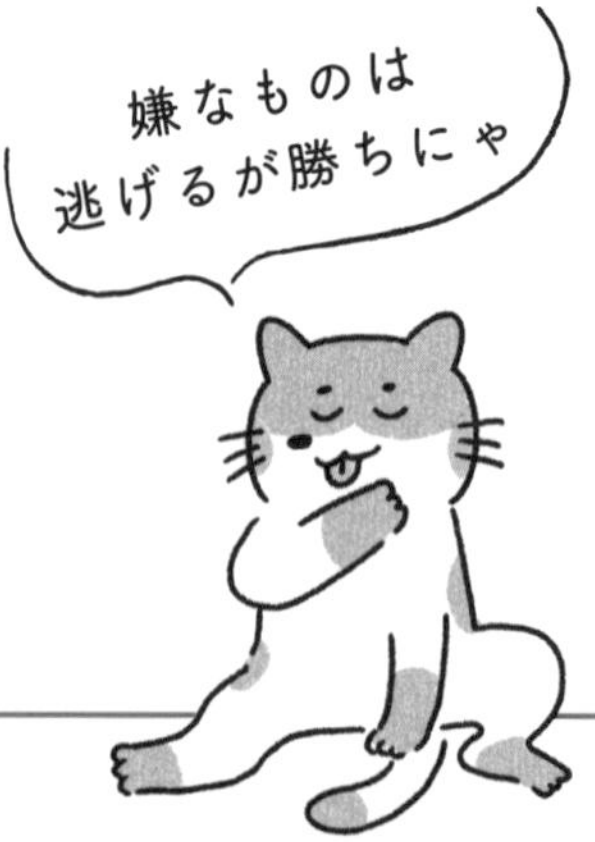
嫌なものは
逃げるが勝ちにゃ

— 心が落ち着く4冊 —

『こころが晴れるノート
うつと不安の認知療法自習帳』
大野裕／創元社／2003

この本を読み、「練習」に取り組むうちに、自分の考えかた、物の受け取りかたのクセに気づく。もっと柔軟に生きるには。自分と向き合うための本。

『図解ストレス解消大全　科学的に不安・イライラを消すテクニック100個集めました』
堀田秀吾／SBクリエイティブ／2020

不安・心配をとり除く、モチベーションを充電する、集中力を取り戻す、他人の攻撃を防御するなど7カテゴリーの具体的なストレス解消ワザを紹介。

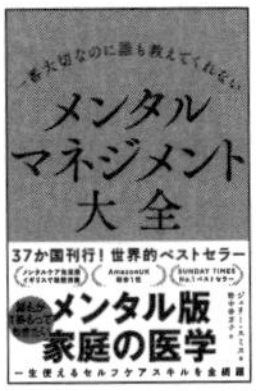

『一番大切なのに誰も教えてくれない
メンタルマネジメント大全』
ジュリー・スミス（著）、野中香方子（訳）／河出書房新社／2023

気分や悲嘆、不安、自信などについて知識と役立つ方法を与えてくれる。健やかに自分の人生を歩むために手元に置いておきたい道具箱のような本。

『どうしようもなく仕事が「しんどい」あなたへ
ストレス社会で「考えなくていいこと」リスト』
井上智介／KADOKAWA／2021

先の見えない不安や複雑な人間関係など、考えることが増えている今だからこそ「考えなくていいことは考えない」。ラフに生きるヒントが満載。

その場で心の落ち着きを取り戻す方法
「セルフ・スージング」を身につけよう

生きていれば、何かと気がかりなことやうまくいかないこと、自分にとって都合の悪いことに遭遇します。そうした問題に直面したときに、私たちはつい「早くそこから逃げ出したい」「早くすべての問題を解決したい」と思ってしまうもの。でも、**一度にいくつもの問題を解決しようとせず、解決可能で自分にとって重要なものから取り組むことが大事**、と語りかけるのは認知療法の第一人者である精神科医の大野裕さんです。精神療法の一つである認知療法を使って心の力を育むためのセルフワークブック『こころが晴れるノート』でこんなふうにアドバイスしています。

…

私たちはつらくなると、どうしても早くそこから逃げ出したいと考えます。

…

そのためにいっぺんに問題を解決しようとするのですが、元気なときでも、いくつものことを同時に解決しようとするのは難しいものです。（中略）人には、できることとできないことがあります。

できないことまでいっぺんに片づけようとすると、無理が出てきます。できないことを受け入れる勇気をもつことも大切です。

『こころが晴れるノート　うつと不安の認知療法自習帳』より

世の中、自分でコントロールできることばかりではありませんよね。たとえば、マスクをつけて、うがい・手洗いもちゃんとして、感染対策を徹底しても風邪をひいてしまうことはあります。そこで「私の自己管理が甘いから……」と自己嫌悪に陥るのはナンセンスでしょう。同じように、コントロールできないことをコントロールしようとしても心が疲れるだけです。

「嫌なことやストレスがたまっているときには、ジョギングをすると気持ちが向上していく」と助言するのは、『図解ストレス解消大全』の著者で、ストレスコントロールに関する著書を多数持つ言語学者の堀田秀吾さんです。

東京大学の実験では、マウスを1週間1日30分ほどトレッドミルで走らせたところ、覚醒、気分、記憶、そして自律神経調節などと関係するセロトニンの受容体が活性化されていることがわかり、その効果は最後の運動から72時間以上1週間まで続いたそうです。

これはマウスの実験なので人間でも全く同じ効果が得られるとは限りません。でも、気分の向上に体を動かすことが役立つのは確かです。

イギリスの心理学者ジュリー・スミスさんも、世界的なベストセラーとなった『メンタルマネジメント大全』で、つらい感情を経験しているときに安全を感じ、気持ちをなだめる「セルフ・スージング（自己鎮静）」の方法の一つとして、体を動かすことをすすめています。

スミスさん曰く、心身の落ち着きを取り戻すには、「自分は安全だ」という情報を脳と体に与えなければならないものの、脳はあらゆる感覚から情報を集めているため、その方法はいろいろあるとのこと。体を動かす以外にも、温浴、安らぎを感じる香り、温かな飲み物、信頼できる人とのおしゃべり、心を落ち着かせる音楽などもセルフ・スージングになるとすすめます。

問題や心配事自体は解決しなくても、心を落ち着かせるにはその場でできることがたくさんあるということです。そして、心が落ち着いたら解決できるものから取り組むといいでしょう。

「『考えなくていいこと』は考えない！」とアドバイスするのは『ストレス社会で「考えなくていいこと」リスト』の著者で産業医・精神科医の井上智介さんです。不確実なことの多い時代だからこそ、「**その場しのぎで毎日をつないでいく」ような感覚でいい**、と提言します。そして「今日一日を乗り越えれば、明日は勝手に来る」とも。いい言葉ですね。

ストレスを意識の外に出せば勝手にラクになる

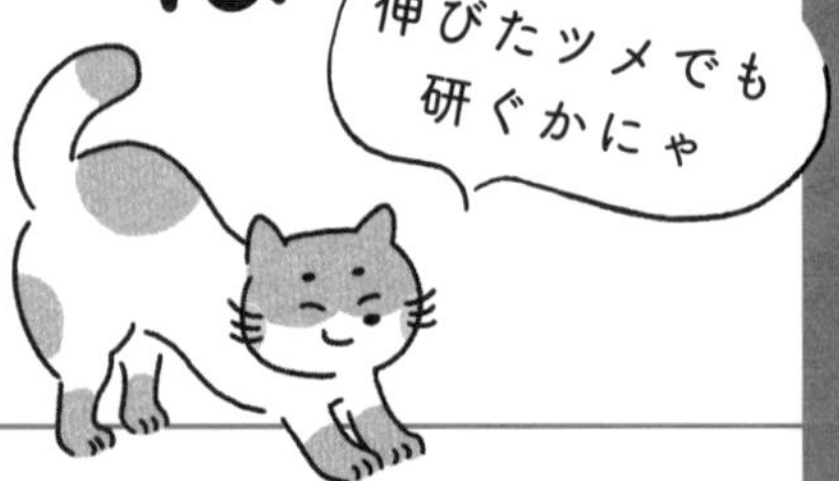
伸びたツメでも研ぐかにゃ

― 幸せをもたらす4冊 ―

『セルフケアの道具箱
ストレスと上手につきあう 100 のワーク』
伊藤絵美／晶文社／2020

認知行動療法やスキーマ療法、マインドフルネスなどエビデンスのあるセルフケアをやわらかい言葉で。カウンセラーが温かく見守ってくれるような本。

『1日 10 分で自分を浄化する方法
マインドフルネス瞑想入門』
吉田昌生／WAVE 出版／2015

マインドフルな状態とは？ 瞑想時の姿勢・呼吸は？ 雑念が出たら？ 続けるとどんな自分になれる？ マインドフルネスの入門本。瞑想に導く音声 CD 付き。

『精神科医が見つけた３つの幸福
最新科学から最高の人生をつくる方法』
樺沢紫苑／飛鳥新社／2021

幸福はドーパミン、セロトニン、オキシトシンが十分に分泌されている状態で感じると著者。幸福になるために現実的・具体的に「やるべきこと」とは。

『幸せのメカニズム　実践・幸福学入門』
前野隆司／講談社現代新書／2013

４つの因子を満たせば幸せになれる。そのためにはどんな意識で何を実践し、何を控えればいいのかをこれまでの幸福学研究をもとに教えてくれる本。

ストレスのもとに気づき、書き出す
それだけで心は回復する

仕事でも家事でも、やるべきことが山ほどあってパンクしそうになったとき。やるべきことをバーッと箇条書きにすると、頭のなかが整理されて気持ちもスッキリしませんか？　私は「Ｇｏｏｇｌｅ ｋｅｅｐ」というメモアプリを使って、いつも書き出しています。**脳のなかにため込んでいくと、どんどんキャパオーバーになっていくので、意識的に外に移しているのです。これは、ストレスケアにもおすすめです。**

「セルフケアこそが、回復の『鍵』」と、公認心理師の伊藤絵美さんが１００のワークを紹介する『セルフケアの道具箱』では、「ストレッサーに一つひとつ気づくこと、気づいた上で放置せずに、まずは外在化する（書き出す）ことに、様々な効果がある」と書かれています。ちなみに、ストレッサーとは〝ストレスのもと〟のことです。

家庭や家族に関するストレッサーは何か、仕事や学業に関するストレッサー、人間関係に関するストレッサー、お金や生活、自身の健康に関するストレッサー……。一つひとつに意識を向けてとりあえず書き出してみることを伊藤さんはすすめます。**「ストレッサーを日々観察し、書き留めるだけでセルフケアの効果がある」ことが心理学で確かめられているからです。**

その上で、「すべてのストレス反応は自分を守るための正常な反応」であり、「そういう反応が自分に起きているのだ」とまずは認めて受け入れることが大事、と言います。

次に、自分にとってのストレッサーや心身のストレス反応に気づき、受け止める練習となるのが「マインドフルネス」です。

瞑想・ヨガ講師の吉田昌生さんは『マインドフルネス瞑想入門』でマインドフルネス（瞑想）の効果を次のように書いています。

瞑想を習慣化し、気づく力（アウェアネス）が高まってくると、今まで無意識に反応していたことを自覚できるようになります。（中略）

自分が無意識に考えていること、感じていることに気づいて、自覚するだけでも、それに巻き込まれにくくなります。それまで感情的になっていた状況で一呼吸おくことができたり、考えてもどうしようもないことをあれこれ考えるのを止めることができたり、意識的に選択ができるようになるのです。

『1日10分で自分を浄化する方法　マインドフルネス瞑想入門』より

マインドフルネスは、「今、ここ」に100％の意識を向ける心のありかたです。人はつい未来や過去のことをあれこれ考えて、心ここにあらずの状態（マインドレスネス）に陥りやすいので、そこから抜け出して今に集中する。

そうしたマインドフルネスの状態に達する手段の一つが、瞑想です。

瞑想の具体的なやりかたについては『マインドフルネス瞑想入門』をご参考

いただきたいのですが、目を閉じて座って「吸う」「吐く」という呼吸に集中する方法が最もポピュラーです。じっと座っているのが苦手な人には、歩くときに「右足」「左足」という動作に集中するといった方法もあります。

マインドフルネスは、ストレス緩和だけではなく、腰痛改善や高血圧対策に効果があるとのエビデンスもありますので、試してほしいと思います。

長続きしない幸せに惑わされない

多数のベストセラーを出している精神科医の樺沢紫苑さんは『精神科医が見つけた3つの幸福』で、脳内でドーパミン、セロトニン、オキシトシンが十分に分泌されている状態が「幸せ」であり、これらの幸福物質を出す条件が「幸せになる方法である」と定義しています。

さらに、セロトニン的幸福は「健康の幸福」、オキシトシン的幸福は「つながりと愛の幸福」、ドーパミン的幸福は「お金、成功、達成、富、名誉、地位などの幸福」であり、幸せになるには「セロトニン的幸福→オキシトシン的幸福→ドーパミン的幸福」の順番に優先しなければならない、と言います。

では、すべての基礎となるセロトニン的幸福を得るには？　樺沢さんおすすめの一つが「起床瞑想」です。**朝起きたときに1分でもいいので、今の自分の心と体の状態に向き合うこと。毎日続けるうちに「自分の好調、不調に『気付く能力』がトレーニングされる」**とすすめます。

また、寝る直前に「今日あった楽しい出来事」を3つ書くという「3行ポジティブ日記」も、セロトニン的幸福を手に入れる方法の一つとのこと。**被験者に1週間毎日「3つのよいこと」を書いてもらったところ、幸福感が上がり、うつ傾向も改善した**など、効果が多数報告されているそうです。

ところで、幸福そのものを研究する「幸福学」という分野もあります。その第一人者である前野隆司さんは著書『幸せのメカニズム』で、**幸せには長続き**

する幸せと長続きしない幸せがある、と述べています。すなわち、お金や社会的地位、物などの地位財による幸福は長続きせず、健康や自主性、社会への帰属意識、良質な環境、自由、愛情といった非地位財による幸福は長続きする、と。これは、ドーパミン的幸福（お金）よりもセロトニン的幸福（健康）やオキシトシン的幸福（つながり）を優先すべきという樺沢さんの話とも重なります。ちなみに、年収と幸福感との関係では年収1千万円ぐらいまでは年収が多いほうが幸福を感じやすいものの、それ以上になると無関係になるとの結果が出ています。また、健康については、これまでの幸福学の研究から、次のようなことがわかっているそうです。

・健康であることが幸福に強く影響する以上に、「自分は健康だと思っていること」がより強く影響する

・幸せな人は健康であるのみならず長寿である傾向が高い

本章のテーマである「健やかな心」は人生の質だけではなく、長さにもかかわる可能性があるということですね。

COLUMN

腸とストレスの意外な関係

脳と腸はお互いに作用し合っていて、腸を整えれば脳にもよい影響があるのではないか、と期待されています。

腸活といえば人気なのがヨーグルトです。ヨーグルトには善玉菌の乳酸菌は含まれていますが、実は大腸内で圧倒的に多い善玉菌はビフィズス菌のほう。ビフィズス菌は乳酸に加え、腸内によい働きをする短鎖脂肪酸の酢酸をつくります。腸活のためにヨーグルトを食べるなら、ビフィズス菌入り、かつ糖分の少ないものを選びましょう。

『9000人を調べて分かった　腸のすごい世界　強い体と菌をめぐる知的冒険』
國澤純／日経BP／2023

体は食べた物だけではなく、腸内細菌が生み出す代謝物にも支えられている。腸に関する最先端知識を得た上で「何を食べるといいか」がわかる。

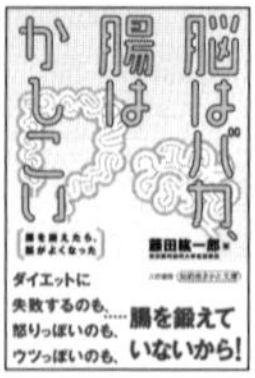

『脳はバカ、腸はかしこい』
藤田紘一郎／知的生きかた文庫（三笠書房）／2019

「腸を可愛がれば、心も体も健康になり、頭もよくなる」と、腸と脳の関係、腸をケアする方法を教えてくれる。なぜ脳はバカなのかはどうぞ本書を。

CHAPTER

2

100歳まで
自力で歩く！

●

『動ける体』
の
つくりかた

50歳を境に増える「足の不具合」に備える

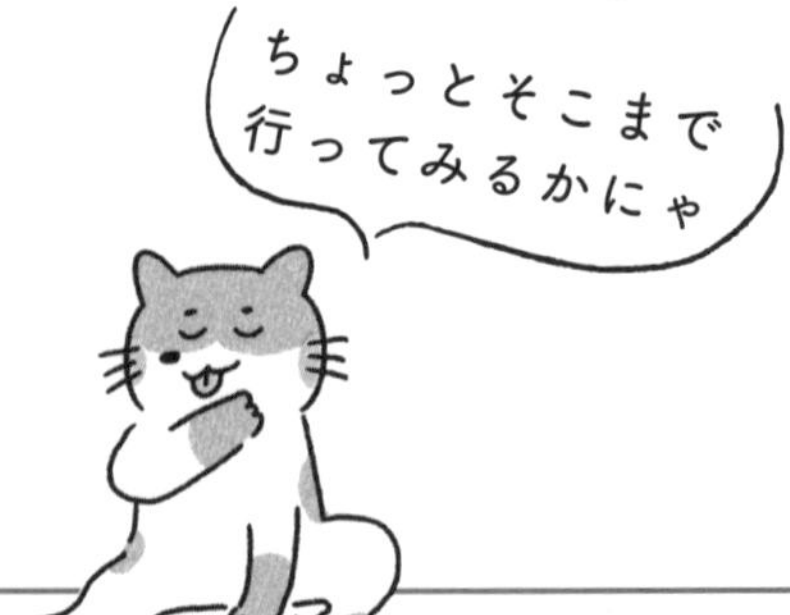
ちょっとそこまで
行ってみるかにゃ

—— 長寿筋がわかる4冊 ——

『歩くとなぜいいか？』

大島清／PHP 文庫／2007

歩くことは楽しい。その上、ダイエット、心身の健康、認知症予防にもなる。歩きかただけではなく、歩く喜びを思い出させてくれ、読むと歩きたくなる本。

『順天堂大学医学部　健康スポーツ室式
長生き部屋トレ』

順天堂大学医学部附属順天堂医院　健康スポーツ室（監）／文響社／2021

レベルに合ったトレーニングメニューで、すでに衰えを感じている人もそうでない人にも役立つ一冊。

『死ぬまで歩けるからだの使い方
１００年足腰』

巽一郎／サンマーク出版／2019

専門は膝関節の手術だが、すぐには手術をしない。多くは自力で解消できるからだ。体の修復力を最大化し根本から治す、動かしかた、考えかたを伝授。

『"歩く力" を落とさない！
新しい「足」のトリセツ』

下北沢病院医師団／日経 BP ／ 2020

多くの足の不具合を診るなかで、足の耐用年数は50 年と実感しているという。日本で唯一の " 足の総合病院 " が教える、歩ける足を守り続ける方法。

年1%ずつ筋肉は減っていく だから、太りやすくなる

いくつになっても自分の足で自由に歩きたい。これぞ万人共通の願いではないでしょうか。動ける体を保つことは、「長生き＝寿命」にも、「元気に長生き＝健康寿命」にも密接にかかわります。

ところが、動ける体は意識して保とうとしなければ保てません。なぜなら、加齢とともに筋肉は落ちていくものだから。

歳を重ねるにつれて、太りやすくなったと感じていませんか？

それは、「中年になると基礎代謝が低下して、必要な栄養素をエネルギーとして燃焼する能力が次第に衰えてくる」からであり、「加齢によって生じる基礎代謝低下の大きな原因は、筋肉の衰えによるもの」と、『歩くとなぜいいか？』の著者、脳科学者の大島清さんは説明します。

そのターニングポイントは40歳とのこと。「とくに四十を過ぎるころになると、筋肉の衰えははっきりしてきて、これにつれて基礎代謝の低下も大きくなる」と注意を促します。

これには私も同感です。30代からすでに筋肉は減り始めるものの、40代になるとさらに加速するのです。**その先、60歳以降になると、運動習慣のない人は1年で1%の割合で筋肉量が減っていく**と言われています。高齢者が入院すると、たった2週間ベッドで横になっていただけで足の筋肉は2割減少すると言われるほどです。

加齢とともに筋肉量が減り、筋力が著しく低下することを「サルコペニア」といい、サルコペニアになると死亡リスク、介護リスクが上がり、がんになったときの生存率は下がり、手術時の死亡率は上がることがわかっています。

このように動ける体を保つことは長生きに直結しているので、**40歳になったら老後の貯金だけではなく、〝筋肉貯金〟を心がける必要があるのです。**

ところで、どのくらい筋力が低下していると危険信号なのでしょうか？

「目安の一つが、簡単に確認できる握力。握力が低下してきたら要注意」と教えてくれるのは『長生き部屋トレ』です。この本では、病院で実際に実践しているトレーニングをもとに、足の筋力、バランス力、柔軟力、握力を鍛えるトレーニングを「安心」「要注意」「危険」の3つのレベル別に紹介しています。

握力の話に戻ると、握力が低下している人は、手だけではなく全身の筋力も低下していると考えられます。だから、「最近、ペットボトルの蓋が開けられなくなった」といった人は全身の筋力が低下している危険性大なのです。

ただし、動ける体ということを考えると、より大事なのが「足」です。足の筋力の衰え具合をチェックするには、『長生き部屋トレ』でも紹介されている椅子を使った立ち座りテストがおすすめです。

胸の前で手を組んだ状態で椅子に座り、できるだけ早く、立って座るという動作を繰り返します。座った状態からスタートして、立って座って立って、5回目に立ち上がったところで終了し、かかった秒数を測ります。12秒以上かかった人は要注意です。

この立ち座りテストは、サルコペニアのセルフチェック法として知られています。自宅でも簡単にできるので、ぜひ秒数を測ってみてください。

コスパのよい筋トレはスクワットとランジ

では、健康のために筋肉貯金をするには、どの筋肉を意識的に鍛えればいいのでしょうか。やっぱり手よりは足。大きな筋肉から鍛えたほうが、健康面では絶対に効果的です。

死ぬまで歩ける体の使いかたを教えてくれる『100年足腰』の著者で、整形外科医の巽一郎さんは、**太ももの内側の「内転筋《ないてんきん》」、太ももの前側の「大腿《だいたい》四頭筋《しとうきん》」、「腹筋《ふっきん》」、骨盤の底で下支えしている「骨盤底筋群《こつばんていきんぐん》」の4つを〝長生**

き筋肉”として紹介し、意識して使ってほしい、と呼びかけます。
たとえば、高齢になるにつれ、がに股がひどくなる人がいますよね。それも、こうした筋肉の衰えが原因と巽さんは指摘します。

もし内転筋が弱ると、大腿骨は外転・外旋し、いわゆるがに股になりＯ脚が加速します。股関節やひざ関節にいっそうの負担がかかり、「変形性ひざ関節症」が進行します。

『死ぬまで歩けるからだの使い方　１００年足腰』より

一方、足の専門病院である下北沢病院の先生方が書いた『新しい「足」のトリセツ』では、「アキレス腱のやわらかさ」が足の健康の要と、アキレス腱伸ばしを毎日の習慣にしてほしいと提案しています。
その上で、歩く力を保つには脚の筋力も大事と、特にお尻の「**大殿筋**《だいでんきん》」、**内ももの**「**大内転筋**《だいないてんきん》」、**ふくらはぎの深部にありアキレス腱につながっている**「**ヒ**

ラメ筋」の3つに注目します。

それぞれの本で各筋肉を鍛えるトレーニングが紹介されているので、ぜひ毎日の生活に取り入れてください。そして、何より大事なのは歩くことです。

歩く力を保つには、やっぱり歩く習慣を持つこと。その上で筋力を保つために筋トレをプラスしてほしい。私がよくおすすめしているのは「**スクワット**」と「**ランジ**」です。『長生き部屋トレ』と『新しい「足」のトリセツ』でも紹介されています。

スクワットは、足を肩幅より少し開いて立ち、お尻を突き出すようにゆっくりと腰を下ろすエクササイズです。下半身全体の筋肉に効きます。

ランジは、足を揃えてまっすぐに立ち、片足を前に大きく踏み出したら、ゆっくりと腰を下ろす。これも、下半身の筋肉をまとめて鍛えられますし、バランス力の強化にもなります。この「**バランス力**」**も実は長生きするにはとても大事なポイント**なので、次の項目で紹介しましょう。

「歩ける体」には背中の筋肉も必要

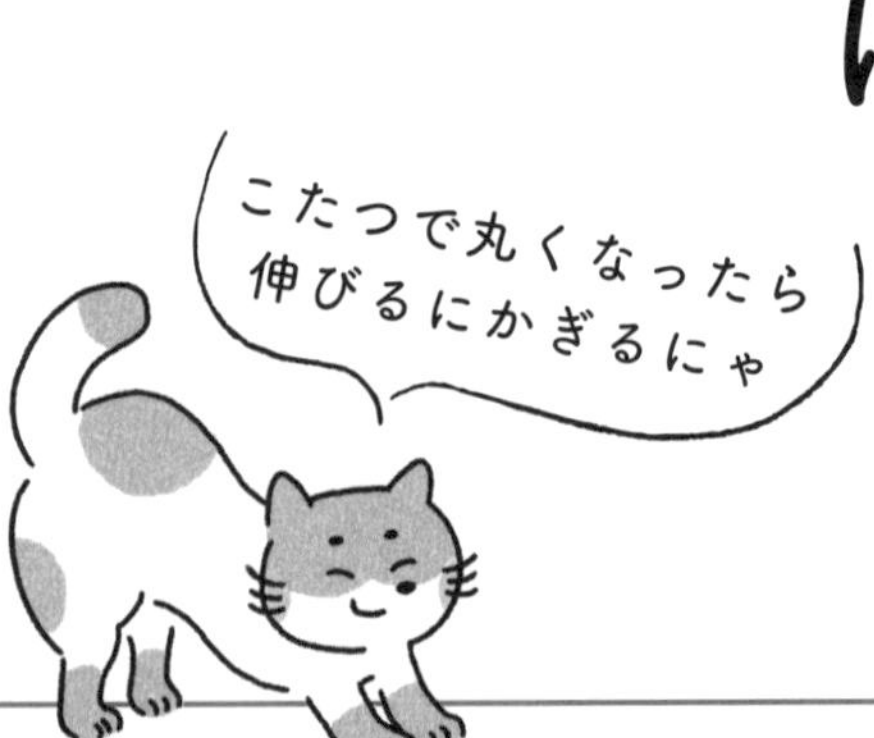
こたつで丸くなったら伸びるにかぎるにゃ

― 背筋が伸びる4冊 ―

『国立大教授が教える最高の若返りメソッド 長生き1分片足立ち』

伊賀瀬道也／文響社／2021

抗加齢医学の専門家が見出した長生きのカギが、バランス力。「病気の診断」「病気の改善」の両方に役立つ片足立ちの基本と応用、そして症状別対策も。

『姿勢の本 ――疲れない！痛まない！不調にならない！』

山口正貴／さくら舎／2018

よい姿勢も同じ姿勢を続ければ体にストレスになる。それが偏りを生み、不調を引き寄せる。日常の各場面でストレスを“流す”方法を伝授する。

『30日で白Tシャツの似合う私になる』

森拓郎／ワニブックス／2019

Tシャツが似合う人は体のラインから健康が透けて見えると著者。ストレッチで骨格美人に。モデルは著者のスタジオに通う高橋メアリージュンさん。

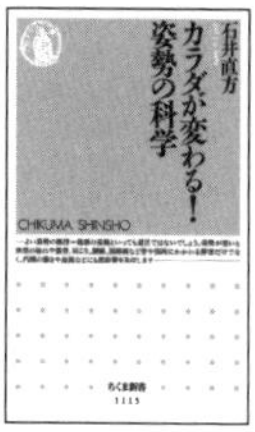

『カラダが変わる！　姿勢の科学』

石井直方／ちくま新書／2015

二足歩行の人間は骨や筋肉をどう進化させてきたのか、加齢で体はどう変わるのかという知識から、正しい姿勢をキープするためのトレーニング法まで。

たった1回の転倒が人生の分かれ道になる

長生きを目指すには、なぜバランス力を鍛えたほうがいいのでしょうか。

最大の理由は、バランス力の衰えは転倒のリスクにつながるからです。高齢になって転倒すると、太ももの付け根などの骨折を招き、車椅子生活になったり、寝たきりになったりと、人生の大きな分かれ道になりかねません。

『長生き1分片足立ち』の著者で、愛媛大学医学部附属病院抗加齢・予防医療センター長の伊賀瀬道也さんは「**バランス力＝長生きする力**」と言い切ります。

なぜそう断言できるかといえば、「老化をいかに遅くするか」という抗加齢医学の研究を続け、４千人以上の患者さんを診てきた結果、次のようなことがわかってきたからだそうです。

片足立ちが1分間できない人は筋力と骨量が低下しているとわかりました。さらに、脳が委縮しており、認知症の前段階になっている可能性があることもわかりました。ほかにも、脳卒中になって、突然倒れるリスクもあります。こうしたあらゆる病気のリスクを回避するカギになるのが「バランス力」なのです。

『国立大教授が教える最高の若返りメソッド　長生き1分片足立ち』より

伊賀瀬さんは、バランス力を保つには「筋力」や「骨量・骨密度」だけではなく、全身に酸素と栄養を送る「血管」、脳からの命令を伝える「神経ネットワーク」の働きも必要だと言います。逆にいうと、バランス力を鍛えることでこれらの若返りを図ることも期待できるのです。

片方の足を浮かせて立つ「片足立ち」はバランス力のチェックにも、バランス力の改善にも役立つと伊賀瀬さんはイチ押しします。確かに**歩くだけではバランス力はあまり鍛えられないので、片足立ちはとてもよいエクササイズ**だと私も思います。その場でできるので、すき間時間にチャレンジしましょう。

転倒の防止には「姿勢」が大事と指摘するのは、『姿勢の本』の著者で東大病院のリハビリテーション部に勤める理学療法士の山口正貴さんです。

・・・・・・

いかに転ばないで、骨折しないか。それが長生きの秘訣となります。そのためにはやはり同じ姿勢をしない、姿勢を変えることが大事なのです。

『姿勢の本――疲れない！　痛まない！　不調にならない！』より

・・・・・・

背中を丸めるクセのある人は時折背中を反らしてみる。逆に反り腰になりやすい人は時々座ったりしゃがんだりして逆に曲げてあげる。そうやって姿勢を変えることで「体のストレスをこまめに流す」ことが大事だと言います。

猫背を治すにはまず背中をほぐす

悪い姿勢の代表といえば猫背ですよね。前かがみの姿勢は膝にも負担をかけるので、歩ける足を保つ意味でもよくありません。

猫背になる大きな原因は、背中の筋力の低下。背骨に沿って走っている「脊《せき》柱《ちゅう》起《き》立《りつ》筋《きん》」などの背中の筋肉が衰えると、上半身を支えられなくなって猫背になり、次第に関節も硬くなるので、猫背のまま固定されてしまいます。

猫背になると、重たい頭を持ち上げなければいけないので、頸《けい》椎《つい》にストレスがかかり、首の痛み、肩こり、頭痛などを引き起こす、と山口さんは説明します。また、前に倒れている上半身を、腰が絶えず後ろに引っ張り続けなければいけないので、何より負担がかかるのが腰です。そのため、「**ストレッチによって土台となる背骨のいちばん下の腰椎からしなやかにしていく**」必要がある、と指摘します。そうして、ストレッチで柔軟性を高め、背骨が可動域いっぱいまで動くようになり、背筋やインナーマッスルも強化されれば、猫背は改善され、首、肩、腰の不調も消える、とのこと。

つまり、**まずは背骨の柔軟性を高め、その上で背中の筋肉をつけることが大事**なのです。運動指導者の森拓郎さんも、『30日で白Tシャツの似合う私になる』で、**「正しい姿勢をスタンダードな状態にするには、実は背中の柔軟性がとても重要」**と、背中をほぐすことをすすめています。

このときに注目すべきが、上半身で最も大きい筋肉である広背筋と、それを支える大円筋（肩甲骨の下から上腕へとつく筋肉）。これらが硬くなると、腕が上がらず、肩を動かせず、背骨がしなやかなカーブを描けなくなるとのこと。

広背筋、大円筋が凝り固まっているときには、ストレッチの前にテニスボールでほぐすとよいそうです。床にテニスボールを置いて、肩の筋肉の下から脇のあたりが当たるように横になって体重を乗せます。「あ、凝ってるな」という部分にボールを当てて、イタ気持ちいい範囲で60秒間を目安にほぐしていく。このとき、体を動かしてボールでグリグリすると筋肉を傷めてしまうので、ただ体重を乗せてキープすると、ほぐれていくそうです。

身体運動科学を専門とする石井直方さんが姿勢と健康の関係を解説した『姿勢の科学』にも、背中の大切さが書かれています。

大腿四頭筋、殿筋、腹筋、背筋というのは、立ち上がって、歩いて、自分の体を思ったところまで移動させるという観点でも重要な筋肉ですので、これらの筋肉が衰えると、姿勢が変化して、やがてロコモになるという言い方もできるわけです。

『カラダが変わる！ 姿勢の科学』より

ちなみに「ロコモ」とは、骨や関節、筋肉などが衰えて、立つ・歩く力が低下している状態のこと。**いくつになっても歩ける体をキープするには、足の筋肉だけではなく、忘れがちな背中も意識しましょう。**

たんぱく質は摂りすぎと偏りに注意

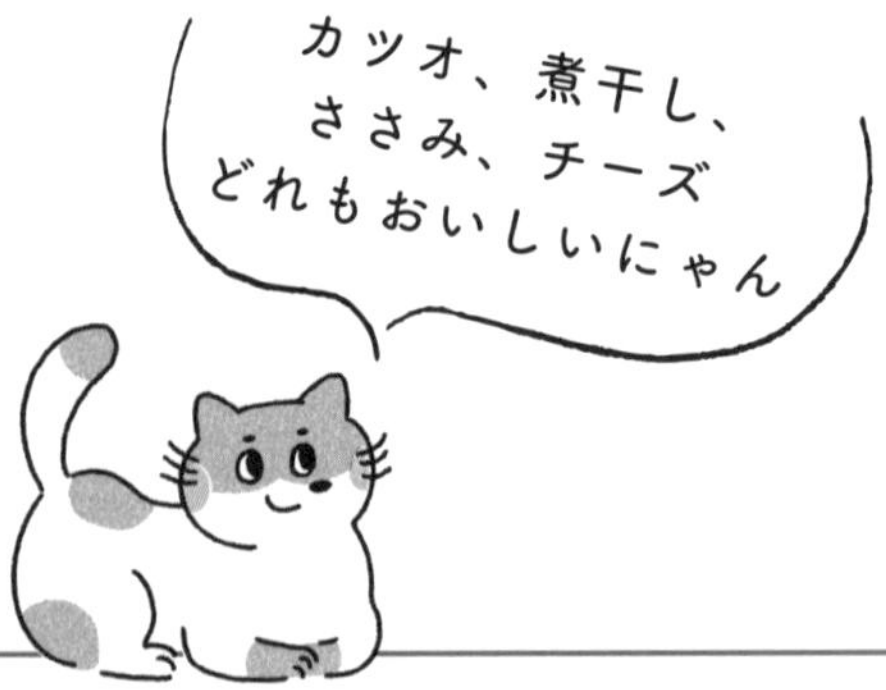
カツオ、煮干し、
ささみ、チーズ
どれもおいしいにゃん

摂りたい栄養がわかる4冊

『安い・美味しい・簡単　実践 健康食』
岩田健太郎／光文社新書／2022

医師でファイナンシャル・プランナーの著者が教えるコスパのよい健康食。コストやサスティナビリティの問題にも触れ軽妙な語りで視野を広げてくれる。

『世界一シンプルで科学的に証明された究極の食事』
津川友介／東洋経済新報社／2018

長生きするには科学的根拠（エビデンス）にもとづいた食事をとること。では、エビデンスのある食事、食べ物とは何か、その“考えかた”からわかる本。

『新しいタンパク質の教科書　健康な心と体をつくる栄養の基本』
上西一弘（監）／池田書店／2019

たんぱく質の大切さからその働き、問題・不調別の摂りかたまでイラストとともに端的に学べる。目的別に紹介した朝昼夜のおすすめレシピもうれしい。

『サクッとわかるビジネス教養　栄養学』
飯田薫子（監）／新星出版社／2023

健康情報の真偽の判断には栄養学の視点が必要。基礎知識から、体を鍛えたい、体脂肪を落としたい人向けの栄養学も。知りたいことが簡潔にわかる。

世界一のエビデンスある健康食はたんぱく質が少ない

筋肉が大事といえば、「たんぱく質を摂らなきゃ」と思う人も多いかもしれません。最近、「もっとたんぱく質を摂りましょう」「肉を食べましょう」といったメッセージの本が次々と出版され、ちょっとしたたんぱく質ブームです。
ただ、「たんぱく源として積極的に肉を食べましょう」という考えは、医師としてはあまりおすすめできません。同じく医師の岩田健太郎さんも、健康と食事についてエビデンスやコスト、安全性、食材の選びかたなど多角的に解説した『実践 健康食』で、こう述べています。

地中海食は他の食事に比べて、タンパク摂取が少ないのも特徴です。タンパク質はアミノ酸からできていますが、アミノ酸摂取が減ると、乳がんや前立腺がんの予防効果に有用かもしれない、というデータもあります。
もっとも、こう考えると、高タンパク質の食事である糖質制限食は、糖尿病や肥満にはよくても、がんの予防という観点からはよろしくない、という考え方もできるかもしれません。

『安い・美味しい・簡単 実践 健康食』より

ちなみに地中海食とは、地中海沿岸の人々が食べている伝統的な食事で、心血管疾患や脳卒中、肥満、糖尿病、高血圧、一部のがん、アレルギー疾患、アルツハイマー病、パーキンソン病などの予防効果が報告されています。つまり、エビデンスのある健康食です。その地中海食の特徴として、**魚はほどほどに食べるものの、赤い肉（牛肉、豚肉など）や加工肉は週1回以下**なのです。

また、理想的なたんぱく質の摂りかたには個人差もあります。注意が必要なのが、腎臓の働きが衰えている人です。

医師で、カリフォルニア大学ロサンゼルス校（ＵＣＬＡ）准教授として医療政策学や医療経済学を専門とする津川友介さんの『世界一シンプルで科学的に証明された究極の食事』にも、「病気の人、子ども、妊婦にとっての『究極の食事』」という項目のなかで次のような説明があります。

腎臓病の患者さんは、たんぱく質も体に悪影響を及ぼす。慢性腎臓病の患者さんがたんぱく質をとりすぎると、(たんぱく質が代謝された結果生じる)「尿毒素」と呼ばれる毒素などが体に蓄積し、頭がぼーっとしたりだるく感じたりする。そのため、慢性腎臓病の患者さんはたんぱく質を少なめに制限する。

『世界一シンプルで科学的に証明された究極の食事』より

一方、高齢者にとっての最善の食事については、残念ながらエビデンスは十分ではない、と津川さん。それでも、牛肉や豚肉などを控えたほうが病気のリスクが下がる中高年とは違い、食欲が落ちて量が食べられない高齢者は、そのような食事制限はゆるめて「ある程度カロリーの高いものを食べたほうが良いという説もある」と説明します。

糖質制限は「何を増やすか」で健康効果が真逆になる

では、どのぐらいのたんぱく質を毎日摂ることが理想なのでしょうか。

端的に教えてくれるのが、女子栄養大学教授の上西一弘さんが監修された『新しいタンパク質の教科書』です。この本では、やせたい人、筋肉を大きくしたい人、メンタルの不調がある人など、目的別に1日に必要なたんぱく質量の目安を紹介しています。

これによると、まず一般の人は「体重1kgあたり1g」が目安。つまり、体重60kgの人は1日60gということです。一方、**高齢者は「一般人よりもちょっ**

と多めの体重1kgあたり、1.2g程度が目安」とのこと。理由は、若い人よりも吸収能力が落ちているため、筋肉量を維持するには少し多めを意識してほしいからです。また、**たんぱく質と一緒にビタミンB群やビタミンD、鉄、亜鉛も摂ると、たんぱく質の活性や合成がより高まる**とも解説します。

1日の目安量がわかったら、次に考えたいのは「何から摂るか」。そのヒントとして、お茶の水女子大学大学院教授の飯田薫子さんが監修された『サクッとわかるビジネス教養　栄養学』では、「DIAAS（消化性必須アミノ酸スコア）」を紹介します。これは、体内では合成できない必須アミノ酸をバランスよく含んでいることに加えて、体内吸収率も考慮した指標です。このDIAASのスコアが高いものとして、牛乳や卵が紹介されています。

医学的な観点から補足すると、**動物性のたんぱく質は摂りすぎると健康によくないというエビデンスが出ています。**たとえば、糖質制限を行うときに、減らした糖質を何に置き換えるかで健康効果は変わります。動物性のたんぱく質に置き換えた人は死亡リスクが上がった一方、**植物性のたんぱく質に置き換えた人には健康問題は見られなかった**のです。ですから、たんぱく源として肉ばかり食べるのはよくありません。大豆や大豆製品など、植物性のたんぱく質を意識して選んでほしいと思います。ただし、動物性とはいえ、**魚はやっぱりおすすめです。**魚は動物性と植物性の中間と考えてください。たとえば、魚のすり身でできた練り物は、サクッと食べられて、安価で手軽なたんぱく源です。塩分とリンが含まれているので、血圧や腎臓に不安のある人は注意が必要ですが、減塩の練り物を選ぶなど、摂取できる人にはおすすめです。

プロテインについても考えかたは同じで、足りないたんぱく質を補足するには有益です。腎臓に負担をかけると注意を促す専門家もいますが、これも「人による」が正解。もともと腎臓の働きが落ちている人は要注意ですが、健康な人であれば特に問題はありません。

最後にもう一つ大事なことを。**どんなにたんぱく質を摂っても、運動をしなければ筋肉はつきません。くれぐれも忘れないでください。**

歳を取るほど
外へ出よう

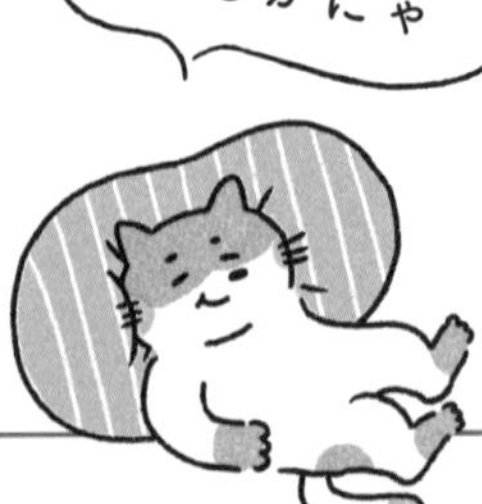
日向ぼっこでも
するかにゃ

── 老いの心構えができる4冊 ──

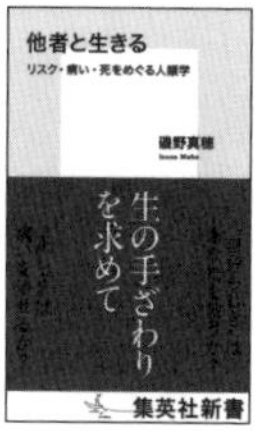

**『他者と生きる
リスク・病い・死をめぐる人類学』**
磯野真穂／集英社新書／2022

エビデンス重視の統計学的人間観、自分らしさ追求の個人主義的人間観は生の実感を遠ざける、と著者。第三の人間観として提唱する関係論的人間観とは。

『なぜヒトだけが老いるのか』
小林武彦／講談社現代新書／2023

老いは死とは違い、すべての生物に共通した絶対的なものではない。なぜヒトには長い「老いの期間」があるのか。老いの意味を捉え直し、生きる意味を考える。

『科学的に幸せになれる脳磨き』
岩崎一郎／サンマーク出版／2020

脳の使いかたを変えれば人生が変わる。脳内のハブ役「島皮質」を鍛え、脳全体をバランスよく働かせれば人生はもっと豊かになるという。その6つの方法とは。

**『100歳の精神科医が見つけた
こころの匙加減』**
髙橋幸枝／飛鳥新社／2016

100歳になっても現役の医師として働いた著者が教える生きるヒント。温かく凛とした言葉の数々が、そっと寄り添い、背中を押してくれるような一冊。

人付き合いが苦手でも孤独はリスク 野菜嫌いでも野菜は食べたほうがいいように

病気や事故で若くして亡くなった人と、100歳まで生きた人。当然後者の人生のほうが長いですが、そうとは限らないのではないかと問題提起するのが、『他者と生きる』の著者で、医療人類学、文化人類学を専門とする磯野真穂さんです。磯野さんは、他者と出会い、かかわるなかで時間に〝厚み〟が生まれ、**「深く生きた人は長く生きた人でもある」**と深遠な思考を展開していきます。この〝時間に厚みが生まれる〟とは、磯野さんと『急に具合が悪くなる』（晶文社）を執筆した、哲学者・宮野真生子さんの考えとのこと。このあたりは私の専門外なので、気になる方は同書を読んでいただくとして、『他者と生きる』の冒頭、磯野さんは動ける体を保つ意義についてこう語ります。

私たちは、概念としてそこにあるわけではなく、身体とともに存在する。（中略）身体が痛むと、自分が生きる社会の中で滑らかに動くことができなくなり、時にはそこからの離脱も余儀なくされる。身体の痛みは社会的存在としての私たちから、社会的な存在であるために必要なあれこれを奪い取る。

『他者と生きる　リスク・病い・死をめぐる人類学』より

つまり、動ける体を保つことは社会とのかかわりを保つことにもつながるということ。そこで長生きのために、また磯野さんのいう〝厚みのある時間〟を生きるために、動ける体を保った先にどう生きるのか考えていきましょう。

そのヒントをくれる一冊が、生物学者の小林武彦さんの『なぜヒトだけが老いるのか』です。小林さんは生物学の視点から、社会性のある生き物であるヒトは、子育てや教育に貢献し、まとめ役や調整役となる元気なシニアがいる集団のほうが存続に有利だった、と説きます。

だからこそ、**老いを感じ始めたら「少しずつ利己から利他へ、私欲から公共の利益へと自身の価値観をシフトさせて」いってはどうか**、と提案します。それが「人の老いの意味」なのだ、と。

さらに小林さんは「シニアは社会の中に組み込まれていてこそ、その価値が発揮される」と、いくつになっても社会とのかかわりを断たないことの重要性を指摘します。これは、健康寿命を延ばす上でも大事なポイントです。なぜなら、社会的孤立は、認知症や健康寿命のリスクになるから。**人とかかわることで脳への刺激が確保できる**のです。

ただ、こうしたアドバイスをすると、「一人のほうがラクなんです」「一人でいるほうが好きなんです」と反論されることがあります。でも、個人の趣味嗜好とは別の話として捉えてください。野菜嫌いでも、健康のためには野菜を食べたほうがいいですよね。それと同じで、**たとえ人とかかわるのが苦手でも健康のためには人とかかわり続けたほうがいい**ですよ、ということです。

脳科学の研究結果をもとによりよい脳の使いかたを提唱する『科学的に幸せになれる脳磨き』の著者、脳科学者の岩崎一郎さんは、幸せに生きるには利他の心が大事と言います。

岩崎さん曰く、自分のことよりも他者の幸せを願っているときのほうが、また、見返りを期待して利他の行動を取るよりも純粋に相手を思いやって利他の行動を取るほうが、脳全体をバランスよく使え、幸せを感じられるそうです。

最後に、人生の手本となるような一冊を紹介しましょう。髙橋幸枝さんの『100歳の精神科医が見つけたこころの匙加減』です。100歳を迎えても医師として働き、103歳まで生きた髙橋さんの言葉には説得力があります。髙橋さんも、**これからの人生は評価を求めるよりも、人の役に立ちましょう**と語りかけます。ただし、役に立つといっても大げさに考える必要はありません。

相手の心を1ミリ揺さぶるだけでも立派な貢献。笑顔で接するだけで相手のお役に立てますよ、と仏教の「和顔施《わがんせ》」という言葉を紹介します。そういう心持ちで生きられたらいいですね。

COLUMN

長寿に必要なのは西洋医学か、東洋医学か

最近、「薬に頼らず〜」といったタイトルの本や記事をよく見かけるためか、薬嫌いの患者さんが時にいらっしゃいます。ところが、そうした人も「漢方は好き」とおっしゃることも。医師という立場からいえば、漢方薬も西洋薬も特に区別はありません。どちらも科学的に検証されたエビデンスある薬という意味では同じなのです。なおかつ、漢方薬にも副作用はあります。西洋医学か東洋医学（漢方）かではなく、両方を境目なく使うのが賢い使いかたです。

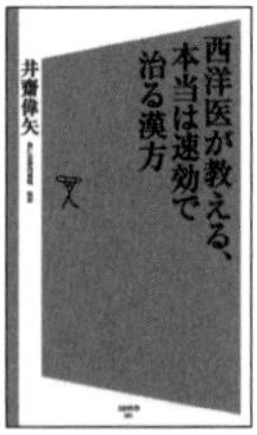

『西洋医が教える、本当は速効で治る漢方』
井齋偉矢／SB新書／2014

漢方薬は即効性のある薬、と著者。東洋思想ではなく薬理学から漢方を説明し、具体的な症状に対する使いかたを解説。漢方のイメージがガラリと変わる。

『NHK出版　学びのきほん　からだとこころの健康学』
稲葉俊郎／NHK出版／2019

病気を治す「病気学」から、その人にとっての健康を目指す「健康学」へ。そのヒントは伝統医学にもある。自分にとっての健康を考えるきっかけに。

CHAPTER

3

本当に正しい

●

『健やかな脳』の保ちかた

「脳の衰え」は誰もが避けられない問題

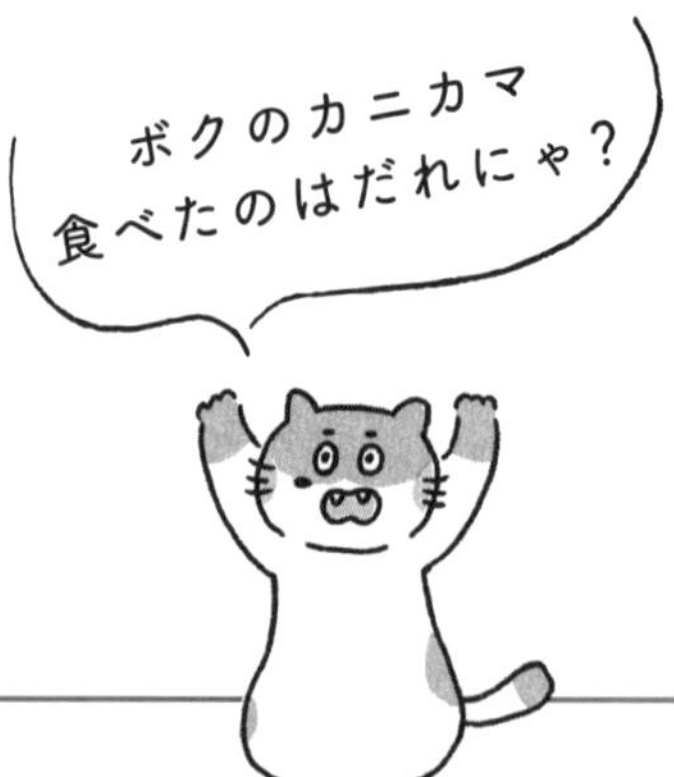
ボクのカニカマ
食べたのはだれにゃ？

脳の不思議がわかる4冊

『認知症世界の歩き方』

筧裕介／ライツ社／2021

乗ると記憶をなくすミステリーバス、入るたびに変わる七変化温泉など、認知症の世界を本人の視点から体験できる13のストーリーと“旅”のガイド。

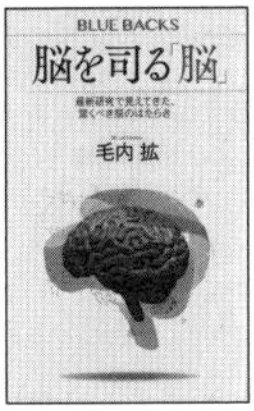

『脳を司る「脳」
最新研究で見えてきた、驚くべき脳のはたらき』

毛内拡／講談社ブルーバックス／2020

脳内の「すき間」やそこを満たす「水」、脳細胞の半分を占めている「グリア細胞」など、これまで脇役だった存在にこそ脳の健康、心の働きのカギがある。

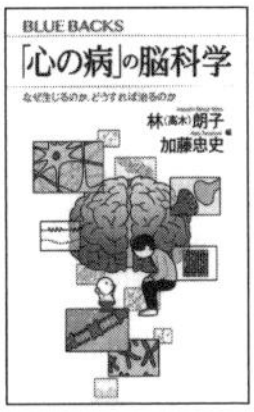

『「心の病」の脳科学
なぜ生じるのか、どうすれば治るのか』

林（高木）朗子、加藤忠史（編・著）／講談社ブルーバックス／2023

心の病を生み出すのも脳。うつ病やADHDなどではどんな脳の変化が起きているのか、心の病を根本的に治すことは可能か、最先端の知見がわかる。

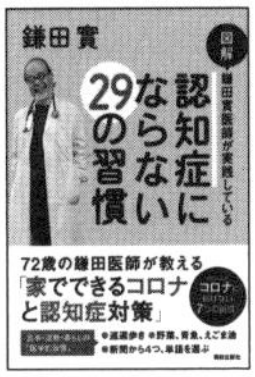

『図解　鎌田實医師が実践している
認知症にならない29の習慣』

鎌田實／朝日出版社／2020

「認知症は生活習慣で防げる」と、食事、運動、意識、毎日の過ごしかたのコツを伝授。簡単レシピもイラスト付きで紹介。もの忘れが気になり始めたらぜひ。

一人ひとり違う認知症の世界 治す薬はまだ存在しない

脳の衰えと聞いて、まず思い浮かべるのは認知症ではないでしょうか。いくら体が100歳までもっても、70代、80代で脳が老け込んでしまっては……。長生きを目指すなら、脳も若々しくいたいものです。

認知症に関する本は多数出ていますが、「認知症になると、心と体にどんな問題が起きるのか」を認知症の人の視点から教えてくれる、ユニークな一冊が『認知症世界の歩き方』です。著者の筧裕介さんは、課題解決のためのデザイン（ソーシャルデザイン）に取り組むデザイナーで、この本は100名もの認知症の当事者へのインタビューをもとにつくられています。

「認知症＝忘れてしまう病気」とイメージする人は多いかもしれませんが、認知症によって衰えるのは短期記憶だけではありません。

『認知症世界の歩き方』でも、「認知症とは、『認知機能が働きにくくなったために、生活上の問題が生じ、暮らしづらくなっている状態』のこと」と書かれているように、今あること——いつ、どこで、誰が、何を、なぜ、どのように——を正しく感じられなくなることで、さまざまな症状、生活上の問題が出ます。ただし、どんな症状・問題が、どの程度出るのかは一人ひとり違います。

そこで、認知症の人が体験する出来事を旅行記のようにまとめ、読者も追体《ついたい》験《けん》できるよう工夫されているのが、この本です。読み進めるうちに、認知症の人の心や体に起こることに想像を膨らませられるようになります。

ところで、なぜ認知機能が働きにくくなるのでしょうか。認知症のなかでも最も多いアルツハイマー型認知症の場合、**アミロイドβと呼ばれる〝脳のシミ〟が沈着することが原因ではないか**、と言われています。最近ではアミロイドβを除去する薬が開発され、話題になりました。病気の根本原因に働きかける薬として注目されていますが、認知症を改善する薬ではありません。

現状では、すでになってしまった認知症を治す方法は見つかっておらず、**認知症の治療に使われている薬はすべて進行を遅らせるためのもの**なのです。

「もの忘れが増えてきた」は脳を思いやるタイミング

認知症の治療が難しい理由の一つに、薬が脳に届きにくいということがあります。脳には「血液脳関門」と呼ばれるしくみがあり、有害なものが脳に入り込まないように取り締まっているのです。

脳科学者の毛内拡さんも、著書『脳を司る「脳」』で、脳の特徴の一つとして血液脳関門を紹介しています。

・・・

脳につながる血管には、脳に余計なものが入らないように監視し、侵入を

・・・

拒むしくみがあるのです。したがって、ほとんどの薬は脳に届きません。（中略）その一方で、アルコールやカフェイン、ニコチン、覚醒剤といった危険な薬物など、脂に溶けやすい性質を持つ小さな物質は血液脳関門をすり抜けてしまいます。

『脳を司る「脳」 最新研究で見えてきた、驚くべき脳のはたらき』より

脳に届いてほしいもののほとんどは届かないので、脳の健康のためにサプリメントを飲んでも残念ながらあまり意味はありません。

心の病に取り組む研究者たちが書いた『「心の病」の脳科学』では、その一例としてGABAを取り上げます。GABAは神経細胞を落ち着かせる働きをもつ神経伝達物質。リラックス効果があると聞いたことはありませんか？　サプリメントもありますし、GABA配合のお菓子なども売られています。

ところが、例のごとく血液脳関門でブロックされるので、体外から摂取しても脳へは到達しないことがわかっているのです。

今のところ、認知症を治す手立てはないとすると、どうするか——。

「認知症は生活習慣で防げる」と太鼓判を押すのが、『認知症にならない29の習慣』の鎌田實さんです。

アルツハイマー型認知症に次いで多い血管性認知症は、高血圧や糖尿病、過剰なコレステロール（脂質異常症）、喫煙などによって血管が傷むことが原因です。いうなれば**〝脳の生活習慣病〟**なので、確かに生活習慣で防げます。

またアルツハイマー型認知症のアミロイドβにしても、『脳を司る「脳」』の毛内さんは、「寝ている間に、脳脊髄液がアミロイドβなどの認知症に関連する老廃物を洗い流してくれているのかもしれません」と、睡眠の大切さを指摘します。つまり、睡眠中に脳内の水が入れ替わることで脳内が掃除されているかもしれない、ということです。

では、いつ頃から認知症予防を意識すべきでしょうか。

早ければ早いに越したことはありませんが、一つの目安となるのはＭＣＩ

（軽度認知障害）の段階です。**MCIは認知症になる手前の段階で、MCIのうちに気づいて対処すれば、半数の人は健常な認知機能に回復することがわかっています。**ただ、どこからがMCIなのかという判断は正直なところ、難しいものです。

そこで、次の鎌田さんの提案がとてもわかりやすいと思います。

・・・・・・

「もの忘れが多くなってきた」は絶望のサインではなく、生活習慣を見直すサインと前向きにとらえましょう。

『図解　鎌田實医師が実践している　認知症にならない29の習慣』より

・・・・・・

「もの忘れが多くなってきた」ことは生活のなかで気づくことができますよね。自覚のある人は（できれば、まだ自信のある人も）、次ページから紹介する脳にいい習慣をぜひ取り入れましょう。

ボケ防止には脳への刺激が欠かせない

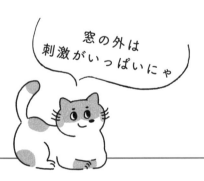

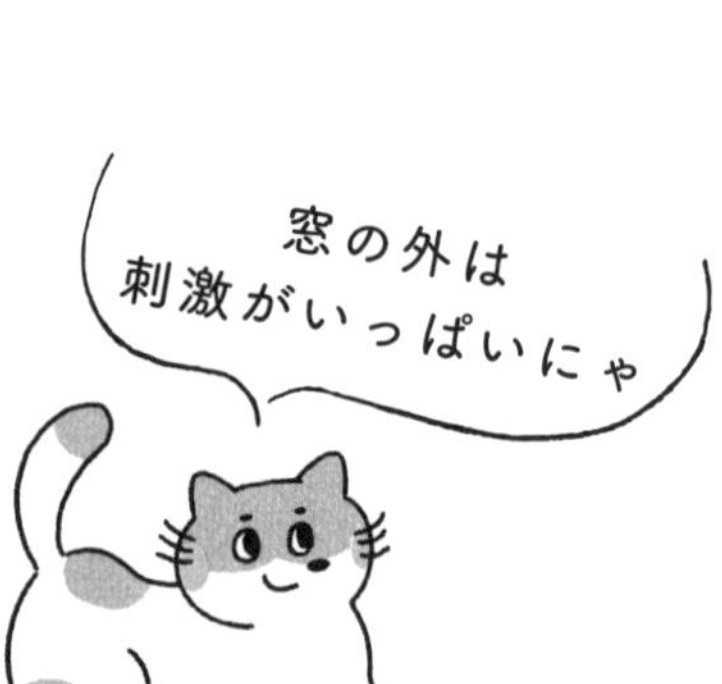
窓の外は
刺激がいっぱいにゃ

— 脳が若返る4冊 —

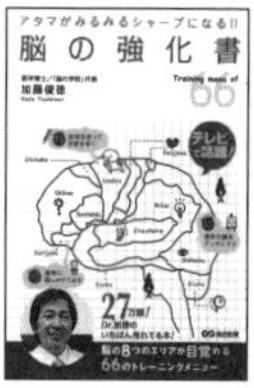

『脳の強化書』

加藤俊徳／あさ出版／2010

日常生活をほんの少し変えれば眠っている脳に刺激を与えられる。脳の8つのエリアを目覚めさせ、なりたい自分を手に入れるための66のトレーニング。

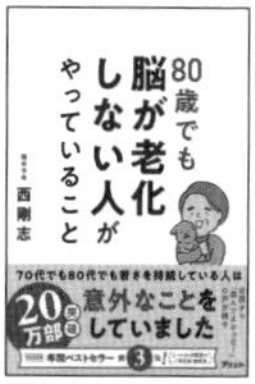

『80歳でも脳が老化しない人がやっていること』

西剛志／アスコム／2022

いくつになっても脳が若いスーパーエイジャーと、老人脳になる人は何が違うのか？　老人脳を遠ざける思考、行動、人間関係から言葉遣いまでわかる。

『91歳の現役医師がやっている一生ボケない習慣』

松原英多／ダイヤモンド社／2022

脳血流を上げる習慣、孤独を避ける習慣、高血圧と糖尿病を防ぐ方法など、認知症を遠ざけるノウハウを紹介。家族にも手に取ってもらいたい一冊。

『脳寿命を延ばす　認知症にならない18の方法』

新井平伊／文春新書／2020

脳の働きや脳が老化するしくみとともに、脳寿命を延ばす方法がわかる。18の方法を心がければ、脳への悪い影響を減らし、脳の老化を遅らせられる。

手書きの手紙は脳にとってダブルの効果

認知症予防に役立つ具体的な習慣を紹介する前に、一つ、知っておいてほしいことがあります。それは、90代でも筋トレで筋肉が増えるように、**いくつになっても認知機能を高める、衰えないようにすることはできる**ということです。

脳内科医で、脳の成長をサポートする「脳の学校」やクリニックの代表を務める加藤俊徳さんは『脳の強化書』で、「**脳は死ぬまで成長を続ける**」と断言します。脳内で情報伝達や情報処理を担っている神経細胞の数は、年齢とともに減っていきます。でも、だからといって脳は衰えていく一方というわけでは決してない、と加藤さんは言います。

…他の細胞と同様、脳の神経細胞も年々減っていき、年齢を重ねるごとに…

老化していきます。しかし、この神経細胞は複数の脳番地をネットワークでつなぎ、そのネットワークは年々成長していくことがわかりました。たとえ老化によって細胞が減っても、脳番地の連携が進めば、神経細胞同士のつながりが強くなるため、脳の機能は強化されていきます。

『脳の強化書』より

ちなみに、「脳番地」とは加藤さんが提唱する概念で、同じような働きを担う神経細胞の集まりのこと。脳番地は、思考、感情、伝達、理解、運動、聴覚、視覚、記憶と大きく8つに分けられます。それぞれの脳番地を鍛えるには特別な器具や準備はいらず、**日常生活をほんの少し見直して新しい経験をつくりだすだけでいい**、というのが加藤さんの考えです。

どんなふうに見直せばいいのか。脳科学者で『80歳でも脳が老化しない人がやっていること』の著者、西剛志さんが紹介する一つが、手で文字を書くことです。手書きは、視覚、筆記の音、感触など、五感から刺激が入るため、記憶の定着に効果的なのだそう。スケジュール管理を手帳に手書きしたり、手書きの手紙を書いたりするのも認知機能の向上に効果があるとのこと。**特に文通は「手書きの効果」×「人とのコミュニケーション」のダブルの効果があり、よいと言います。**

ただ、新しいことにチャレンジするのも脳にはいい刺激になるので、デジタルツールに慣れていない世代にとってはカレンダーアプリを使う、メールでコミュニケーションを取るのもいい脳トレになりそうです。

脳を鍛えるなら脳トレよりも対人ゲーム

朝、10人ほどの認知症の患者さんに電話をかけるのが日課という医師の松原英多さんは『91歳の現役医師がやっている一生ボケない習慣』で、認知症予防の大きなカギは「血のめぐり」と言い、脳の血流を増やして認知症を防ぐ方法の一つとして読書を挙げます。

この先に何が書いてあるのかとワクワクしながら本のページをめくり、内容を理解しようとしているうちに、脳はフル回転して血流が増えてきます。

『91歳の現役医師がやっている一生ボケない習慣』より

読書のジャンルはなんでも。「漫画でも、スポーツ新聞でも、趣味の雑誌でも、自分が興味のあるものなら、なんでもいい」と松原さんは言います。

一方、昔は本の虫だったのに、最近は読みたい本が見つからないという人はいませんか？ 「**興味や関心が失われてしまうのは、認知機能が衰えてきたサインかもしれない**」とのこと。今こそ生活習慣の見直し時です。

ところで、脳を鍛えるといえば、単純な計算や音読、単語の記憶などを繰り返す、いわゆる脳トレがブームになったことがありました。

脳トレについては賛否両論あり、前述の松原さんは、楽しみながら続けられるならいいと考える一方、『脳寿命を延ばす　認知症にならない18の方法』の著者で医師の新井平伊さんは「同じ作業を単純に繰り返すだけでは脳の限られた部分しか使わず、十分な刺激にならない」と否定的です。

新井さんはアルツハイマー病の研究を長年行ってきて、現在はクリニックで認知症などの診療を行うとともに、認知症予防にも積極的に取り組んでいます。その新井さんが脳トレよりもおすすめと話すのは、トランプ、囲碁、将棋、マージャンなどの対人ゲームです。

脳を鍛えるゲームとして適している条件は、現実世界の中で人と一緒に行うことでコミュニケーションツールになること。繰り返しではないこと。そして、楽しめることです。

すなわち、トランプ、囲碁、将棋、チェス、マージャン、ウノなどの対人ゲームです。

『脳寿命を延ばす　認知症にならない18の方法』より

私自身の考えとしては、脳トレもプラスαでやる分にはいいと思います。ただ、**脳トレさえやっていれば認知症にはならないとは決していえません。**いわゆる脳トレで認知症を防げるというデータは今のところないからです。

ただ、デメリットがあるわけでは決してないので、好きで楽しんでやっているのならぜひ続けてください。そうではなく、「脳の健康のために」と義務的にやっているのならあまり効果は期待できないでしょう。

また、体を動かす習慣がなく、家で脳トレばかりしているとしたら、かなり残念な過ごしかたです。**認知症予防には頭を働かすだけではなく、体を働かすことも大事なのです。**これについては次の項目で説明します。

運動は「ほどほど」が一番脳にいい

本当の脳トレがわかる4冊

『脳を鍛えるには運動しかない！
最新科学でわかった脳細胞の増やし方』
ジョンJ. レイティほか・著、野中香方子・訳／NHK出版／2009

運動が脳の老化やストレス、ホルモンの変調などから私たちを守ってくれることを科学的に説明。運動しない人生はもったいないと思わせてくれる一冊。

『やってはいけないウォーキング』
青柳幸利／SB新書／2016

65歳以上の5千人を対象に、15年間、24時間365日の身体活動を追跡調査した結果から導き出された、認知症・寝たきり・がんを遠ざける“究極の歩きかた”。

『改訂版　認知症予防運動プログラム
コグニサイズ®入門』
島田裕之（監・編著）、土井剛彦（指導・著）／ひかりのくに／2023

頭を使った課題と体を使った課題を同時に行う「コグニサイズ®」は認知機能の向上に役立つことが証明済み。グループ用、1人用メニューを紹介。DVD付き。

『崑ちゃん90歳　今が一番、健康です！』
大村崑／青春出版社／2021

猫背でヨタヨタの「ザ・おじいちゃん」から、筋トレで背筋ピーン、大股スタスタの自分史上最高の体へ。笑いあり涙ありの人生ドラマに勇気をもらえる。

脳が喜ぶ〝栄養〟を増やし認知症リスクを半減させるとの報告も

脳を若々しく保つために一番大切なことは何でしょうか？

この問いに「運動」と断言し、その理由をさまざまな研究結果から科学的に説明するのが、ロングセラーの『脳を鍛えるには運動しかない！』です。

運動がもたらす効果はさまざまありますが、その第一の目的は「脳を育ててよい状態に保つためだ」と「序文」で語られます。

運動したマウスはアミロイド蓄積のペースが落ちた、複雑な運動を行ったラットは小脳の神経栄養因子（脳にとって肥料のようなもの）が35％増加した、週2回以上運動していた人は認知症になる確率が50％低かった——といった研究結果を紹介しつつ、運動がいかに重要か、次のようにまとめています。

運動は、先の章で述べたように、脳の回路が結合を増やし、成長するきっかけを与える。血液の量を増やし、燃料を調節し、ニューロンの活動と発生を促すのだ。老いた脳はダメージに対して弱いが、だからこそ、脳を強くするためになにかをすれば、若いときより効果が大きい。

『脳を鍛えるには運動しかない！　最新科学でわかった脳細胞の増やし方』より

私も、「脳を鍛えるには運動が一番」という考えには賛成です。

そうすると、次に気になるのは「どんな運動を、どのくらい」ですよね。

筋トレも大事ですが、**脳だけではなく全身の病気を遠ざけてくれるのは、なんといっても有酸素運動です。その代表が、ウォーキング。**

東京都健康長寿医療センター研究所の青柳幸利さんは、『やってはいけないウォーキング』で、ウォーキングには認知症のほか、寝たきり、うつ、心疾患、脳卒中、がん、動脈硬化、骨粗しょう症、高血圧、糖尿病、メタボリックシンドロームを予防する効果があると紹介します。長生きを目指すなら、ウォーキングをはじめとした有酸素運動が欠かせません。

コスパのいいウォーキングは1万歩よりも8千歩

では、どのくらい歩けばいいのか。青柳さんは群馬県中之条町の65歳以上の全住民5千人を対象に、15年以上にわたって身体活動と病気予防の関係について調査を行った結果から、ほどほどの運動こそが万能薬、と言います。

「ほどほど」の指標は「1日8000歩、そのうち中強度の運動が20分」。つまり、1日の歩数が増えれば増えるほど健康効果が高まるわけではない、ということです。

ほかの国内外の研究結果を見ても、1日8千歩までは歩けば歩くほど寿命が延びるのですが、8千~1万歩で健康効果は頭打ちになっています。65歳以上に限ると、1日6千歩でも十分な健康効果が得られるのではないかとの研究結果もあります。

もちろん、元気な人であれば1日1万歩、2万歩とたくさん歩いていただいてもいいのですが、コスパは悪いと言わざるを得ません。**もっと健康効果を高めたいと思ったら、時間をかけて歩数を増やすより、強度を上げることです。**

ウォーキングであれば、ちょっと汗ばんで、隣の人と会話ができないぐらいのスピードを目指しましょう。

認知症予防のために開発された運動プログラム「コグニサイズ®」を紹介する『認知症予防運動プログラム　コグニサイズ®入門』でも、10カ条の一つとして「『ややきつい』と感じられるくらいの運動を行う」を掲げています。

ほとんど体に負荷がかからない状況でいくら運動しても、それは効果につながることは考えにくいため、ある程度適正な負荷を体にかけていただく…

ということが必要になってきます。

『改訂版　認知症予防運動プログラム　コグニサイズ®入門』より

…

コグニサイズ®とは、ステップ台を上り下りしながら引き算をするなど、体を使う運動課題と頭を働かせる認知課題を同時に行う運動です。この本で紹介されているメニューはグループで行うものが多いですが、**散歩をしながらしりとりをする**など、アレンジして使っていただくといいと思います。

患者さんに「運動してくださいね」「運動が大事ですよ」と伝えると、「膝が痛くてできません」と訴えられることがあります。でも、膝が痛いなら痛いなりの運動があるのです。**水中ウォーキングであれば膝に負担をかけません。水着に着替えるのが面倒であれば、寝たまま行う足上げ運動がおすすめです。**

仰向けに寝て、手は床につけて片膝を立てます。伸ばしたもう片方の足を床からゆっくりと上げて、5秒ほど静止したら、またゆっくりと下ろします。このとき、つま先は上に向け、かかとを突き出すような意識で。この動きを、左右それぞれ20回ずつ行いましょう。

「痛むから」といって運動量が減り、太ももの筋肉が衰えれば、膝を支える筋肉がなくなり、さらに膝が痛むようになります。**膝が気になり始めた人ほど、本当は運動をしてほしいのです。**

ただし、あくまでも痛みを引き起こさない運動です。喜劇俳優の大村崑さんの『崑ちゃん90歳　今が一番、健康です!』でも、トレーニングの心得として「膝や腰などに痛みを感じたら、その運動はやめること」と書かれています。

大村さんはなんと86歳で筋トレに目覚め、週2回、1回1時間程度のトレーニングを続けたところ、スタスタと大股で歩けるようになり、夜にはスカーンと寝られて、食事中に咳き込むこともなくなり、身も心も元気ハツラツになったそう。90歳の大村さんがそういっているのですから、若輩者の私たちは「運動できません」とはもういえませんね。

目、口、耳の機能低下を防ぐ！

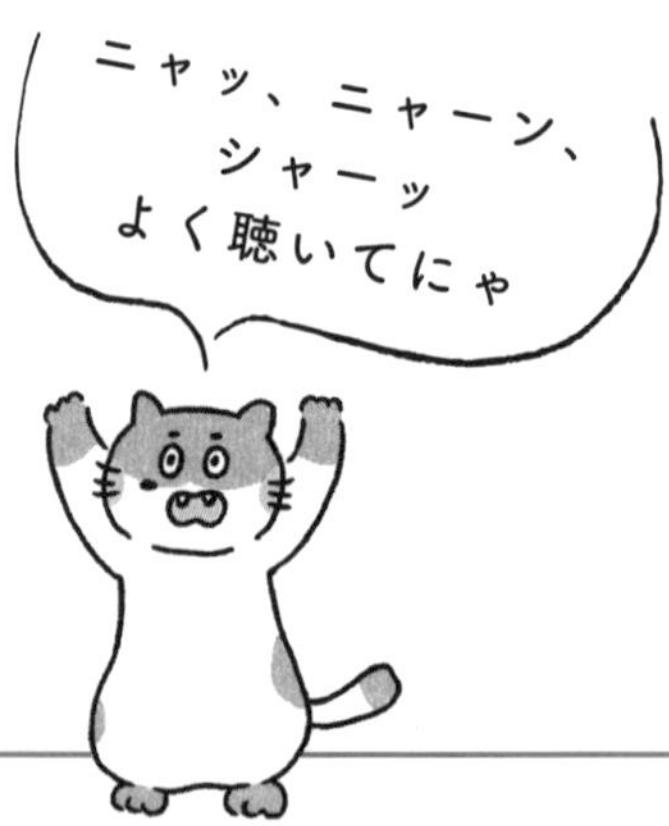
ニャッ、ニャーン、シャーッ
よく聴いてにゃ

― 脳老化の謎がわかる4冊 ―

『ポケット介護　楽になる認知症ケアのコツ』
山口晴保、田中志子（編）、大誠会認知症サポートチーム（著）／技術評論社／2015

認知症の人の家族、介護者への情報をコンパクトにまとめた一冊。トラブルを防ぐ工夫、困りごとへの対応、本人を傷つけない声かけなど充実の内容。

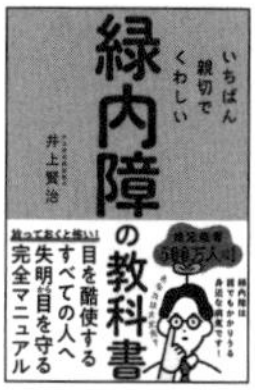

『いちばん親切でくわしい緑内障の教科書』
井上賢治／世界文化社／2023

緑内障は40代から始まる。一生見える目を守るための日常生活のコツから病気のしくみまで。

『毎日耳トレ！
1ヵ月で集中脳・記憶脳を鍛える〔CD付〕』
小松正史（著）、白澤卓二（監）／ヤマハミュージックエンタテインメントホールディングス／2018

ふだん何げなく聞いている音を意識的に聴くことで脳が鍛えられる。音色や高さ、大きさなど、音の違いを聞き分け、脳を鍛える4週間のトレーニング。

『肺炎がいやなら、のどを鍛えなさい』
西山耕一郎／飛鳥新社／2017

「最近ムセる」は老化のサイン。死因3位の肺炎の代表・誤嚥性肺炎《ごえんせいはいえん》につながる。のど仏が下がり始める40代からは全身だけではなく、のどの筋トレも。

聞こえも飲み込む力も意識して使えば鍛えられる

脳の老化を防ぐには刺激が欠かせません。新しいことにチャレンジする、人とコミュニケーションを取るのも、刺激を保つために大切なことですが、ふだん何げなく行っていることのなかにも脳にとっていい〝刺激〟があります。

目がちゃんと見えて字を読める、耳が聞こえて会話ができる、歯が揃っていて（または義歯が入っていて）ちゃんとかめる、これらのことは認知機能の維持にとても大切です。

『ポケット介護　楽になる認知症ケアのコツ』より

とりわけ目と耳から入る情報は、24時間私たちの脳を刺激しています。逆に

視力、聴力が衰えれば、その分、脳への刺激も減ってしまうのです。

まず視力については、100年以上の歴史ある井上眼科病院院長の井上賢治さんの『いちばん親切でくわしい緑内障の教科書』から。

情報の9割が目から入ると言われており、目が悪くては、ましてや失明してしまってはせっかく長生きしても充実した人生は送れないでしょう。（中略）脳の機能が落ちて認知症になる可能性も高まりますから、目を守ることは認知機能を生涯にわたって正常に保つことにもつながります。

『いちばん親切でくわしい緑内障の教科書』より

井上さんは本のなかで、一生見える目を守るためのセルフケアの一つに、パソコン作業時の目の休憩を挙げています。現代人はパソコンだけでなく、スマホ使用時など、昔の人に比べて下を向いたり近くを見たりする時間が増えています。この動作は目に負担をかけ、近視の悪化にもつながるそう。

近くを見る作業をするときは、「**少なくとも1時間に1回はモニターから目を離し、目を閉じて休憩しましょう**」と井上さん。窓から遠くの景色を眺めたり、室内の遠い場所にあるものを見たりするだけでも、目の調節機能をリセットできるとのこと。

目の病気の怖いところは自覚症状に乏しいということです。見えにくさや視野の欠けを感じたときには、すでになんらかの病気が進行している可能性が高いため、異常を感じていなくても、40歳を過ぎたら定期検査を受けましょう。

続いて、耳。『毎日耳トレ!』の著者で、工学博士の小松正史さんは、人は必要のない情報を無意識にシャットアウトするため、意識して音を聴かなければ脳への刺激が減ってしまう、と言います。そこで、耳をすまして音を聴き、耳を鍛えることで脳を鍛えようというのが、この本です。

歳をとれば耳が遠くなるのは仕方ないと思うかもしれませんが、難聴は認知症のリスクを高めます。テレビの音が聞こえにくい、会話で聞き返すことが増えたといったときには、一度、耳鼻咽喉科で相談してほしいと思います。補聴器をつけるタイミングかもしれません。そして、大音量にさらされると耳の細胞は傷つくので、オーディオ機器は60%ぐらいの音量にとどめましょう。

最後に口の話を。『肺炎がいやなら、のどを鍛えなさい』の著者で、たくさんの嚥下《えんげ》障害の患者さんを診てきた西山耕一郎さんは、「食べ物が飲み込めなくなったのをきっかけに認知症になってしまう人や、飲み込めなくなったとたん寝たきりになってしまった人も」見てきた、と言います。

食事中にムセることが増えた、大きめの錠剤を飲みにくく感じるようになったなどは、飲み込み力低下のサイン。**特に男性のほうが、のどの機能は衰えやすいそうです。**理由は、一説には、女性のほうがおしゃべり好きな人が多いから、とか。そのため西山さんは、**男性は特に「定年後に会話を減らさないこと」とアドバイスします。**

人とのコミュニケーションは、そもそも認知症予防に有効です。会話でのどを鍛えて飲み込みもよくなれば、ダブルの効果があるということですね。

COLUMN

今すぐ止めたい脳に悪い行動

血糖値が急上昇する食べかたが体に悪いのは血管を傷めるから。『究極の疲れない脳』では脳を疲れさせるＮＧ行動として「甘いものを一気に食べること」を挙げています。それから喫煙と飲酒。『最新版「脳の栄養不足」が老化を早める！』では、これらが体内で「大量の活性酸素を発生させる」と指摘します。喫煙所仲間ができるメリットもありますが脳にとって好ましくないのは間違いありません。

『5人の名医が脳神経を徹底的に研究してわかった　究極の疲れない脳』
内野勝行、櫻澤博文、田中奏多、田中伸明、來村昌紀／アチーブメント出版／2022

脳神経や心療内科などの医師５人が脳疲労、脳の老化を防ぐ方法を伝授。それぞれの専門、マインドがにじみ出ている分、自分に合うヒントも探しやすい。

『最新版「脳の栄養不足」が老化を早める！』
溝口徹／青春新書／2023

脳の老化は栄養で止められる。適切な栄養を摂ることで健康に導く「オーソモレキュラー栄養療法」をベースに、脳にも体にもいい食習慣がわかる。

CHAPTER

4

寿命をどこまでも
延ばす！

『最強の
健康習慣』

中高年以降は魚ファーストに切り替える

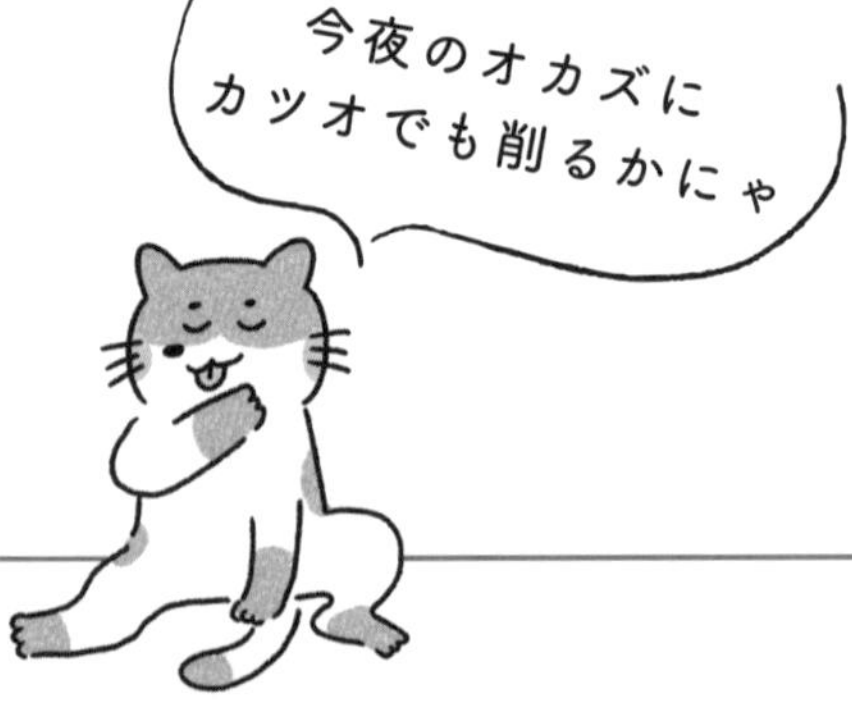
今夜のオカズに
カツオでも削るかにゃ

― 突然死を防ぐ4冊 ―

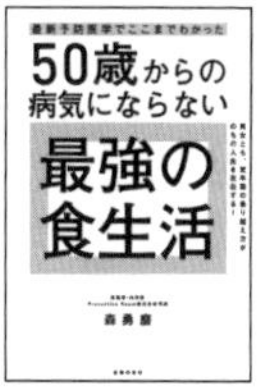

『最新予防医学でここまでわかった
50歳からの病気にならない最強の食生活』

森勇磨／主婦の友社／2023

がんの発症リスクが上がり、男女とも更年期にさしかかる50歳。ここで食習慣を見直せば健康寿命は長くなる。食べるべき、控えるべきものがわかる。

『HEALTH RULES　ヘルス・ルールズ
病気のリスクを劇的に下げる健康習慣』

津川友介／集英社／2022

エビデンスレベルの高い論文を選び抜いてまとめた、睡眠・食事・運動・ダイエット・入浴・ストレス・サプリメントなど11ジャンルの最適解。

『60歳を過ぎても血管年齢30歳の
名医が教える「100年心臓」のつくり方』

池谷敏郎／東洋経済新報社／2023

心臓にやさしい朝・昼・夕・夜の過ごしかた、食べかた、運動、考えかたは？　心臓の健康を守ってくれる「10大スター成分」もぜひ取り入れたい。

『ズボラでも中性脂肪とコレステロールが
みるみる下がる47の方法』

岡部正／アスコム／2015

食べすぎはよくないとわかってはいるけど……。そんな人でも「これならできそう」と思える提案が満載。小さな改善も続ければ健診結果が変わるはず。

1日1切れの魚が死亡リスクを下げる

なんとなくだるい、やる気が出ないなど、だんだん無理がきかなくなって老いへのリアリティが増すのが、50歳前後ではないでしょうか。生活習慣病の存在をますます無視できなくなるのも、50代です。

だからこそ、50歳からは食習慣を変えてほしい。そうした思いで書いたのが、手前味噌ですが『50歳からの病気にならない最強の食生活』です。

たとえば、中性脂肪やコレステロールの代謝が悪くなる「脂質異常症」は、女性は更年期頃から、男性は30代あたりからどっと増えます。といっても、**コレステロールも中性脂肪も本来は体にとって必須**なものです。

ただ、肝臓でつくられたコレステロールは「LDL」に乗って全身に運ばれ、これが多すぎると血管の壁にたまり、動脈硬化を進めてしまう。そこで、**た**

まったLDLを血管の壁から回収してくれるのが「HDL」です。そのため、LDLは悪玉、HDLは善玉と言われるのです。

そして、女性の場合、女性ホルモンの関係で更年期の頃からLDLコレステロール値が上がりやすいことがわかっています。

女性ホルモン「エストロゲン」の分泌量が低下すると、LDLの数値が上がりやすくなることがわかっています。そのため、40代までと同じ食事や生活をしていても、LDLの数値は徐々に悪化してしまいます。

『最新予防医学でここまでわかった　50歳からの病気にならない最強の食生活』より

ということで、50代になったら（くどいようですが早いに越したことはありませんが）、食生活をちょっと変えてほしいのです。

UCLA准教授の津川友介さんは、病気のリスクを下げる健康習慣をまとめた『ヘルス・ルールズ』の「食事」の章で、「何を食べ、何を食べるべきではないか」を端的に紹介しています。引用させてもらいましょう。

ずばり、数多くの信頼できる研究によって健康に悪いと考えられている食品は、①赤い肉（牛肉や豚肉のこと。鶏肉は含まない）と加工肉（ハムやソーセージなど）、②白い炭水化物、③バターなどの飽和脂肪酸の3つである。

逆に健康に良い（＝脳卒中、心筋梗塞、がんなどのリスクを下げる）と考えられている食品は、①魚、②野菜と果物（フルーツジュース、じゃがいもは含まない）、③茶色い炭水化物、④オリーブオイル、⑤ナッツ類の5つである。

『HEALTH RULES　ヘルス・ルールズ　病気のリスクを劇的に下げる健康習慣』より

なかでも「健康に良い食べ物の筆頭」に挙げている魚については、67万人のデータから導き出された研究結果として、**魚の摂取量の多い人ほど死亡リスク**

が低く、1日60gの魚を食べていた人は全く食べていない人に比べて12%死亡率が低かったことを紹介しています。

スーパーなどで売られている鮭や白身魚などの切り身1切れが80g前後ですから、**1日1切れで60gはクリアできます。**刺身であれば3、4切れでしょうか。それだけで死亡リスクを下げられる可能性があるのです。

脂質異常も高血圧も高血糖も〝無言〟突然、命にかかわる病がズドンと来る

循環器内科医の池谷敏郎さんも『「100年心臓」のつくり方』で、**「『心臓の健康』といったらコレ!」と、EPAとDHAを挙げます。**EPA、DHAは、アジ、イワシ、サバといった青魚に多く含まれる油です。

EPAは末梢血管をしなやかに開いて、血小板の活性を抑え、血流をよくし

てくれる働きがあり、DHAは脳に働きかけて、うつ病や認知症の予防に役立つ可能性がある、と池谷さんは説明します。

さらに、EPA、DHAには中性脂肪やLDLコレステロールを減らし、HDLコレステロールを増やす働きもある、とも。**実際、中性脂肪値の高い人に使われる「ロトリガ」という薬の主成分は、EPAとDHAなのです。**

魚がいかに大事か、わかっていただけたでしょうか。

ただ、肉を食べたほうがいいシチュエーションとしては、貧血があるときです。**肉は、鉄分の摂取源としては非常に優秀。**動物性食品を一切食べないビーガンの人は、爪が割れたり、白髪になって髪がパサパサになったりしやすく、その原因の一つに鉄分不足があります。

ですから、貧血の人は肉も意識的に食べてほしいのですが、一般的には、**中高年以降の健康を守ってくれるのは断然、肉よりも魚。**ぜひ魚ファーストの食生活に切り替えましょう。

生活習慣病の予防と治療に詳しい医師の岡部正さんは、『ズボラでも中性脂肪とコレステロールがみるみる下がる47の方法』の「はじめに」で、脂質異常症は自覚症状がないからと油断していると大変なことになる「警告としての生活習慣病」だ、と訴えています。それは高血圧や糖尿病も同じで、自覚症状がないからといってほったらかしていると、**じわじわ動脈硬化を進め、ある日突然、心筋梗塞や脳卒中などをズドンと引き起こすのです。**

〝ズドン〟の前に中間警告をハッキリしてくれるのは、尿酸値ぐらいです。尿酸値が高くなると痛風という形で症状が出ます。そして、足で痛風が起きていたら、腎臓や心臓にも痛風のもと（尿酸塩結晶）ができているかもしれませんし、動脈硬化が進んでいる可能性も高いのです。

痛風以外の生活習慣病はほとんど症状がありませんが、**健康診断で問題を指摘された人は、「〝ズドン〟に一歩近づいてしまった」と自覚して、健康習慣を一つでも多く取り入れていただきたい**と思います。

肝臓の健康なくして長寿なし

肝臓から元気になる4冊

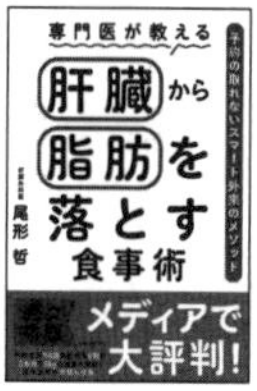

『専門医が教える 肝臓から脂肪を落とす食事術 予約の取れないスマート外来のメソッド』
尾形哲／KADOKAWA／2022

3人の患者さんの物語から、3か月で無理なく減量し脂肪肝（と糖尿病）を改善する方法が学べる。小説風の健康書で著者の外来を受診している気分に。

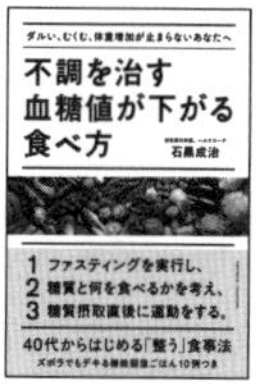

『不調を治す　血糖値が下がる食べ方』
石黒成治／クロスメディア・パブリッシング／2023

健康診断での数値の異常や、だるさ、ぜい肉など体のサインを感じ始める40代以降に向けた、血糖値、肝・腎機能が改善する食べかた。10のレシピ付き。

『人生を変える健康学 がんを学んで元気に100歳』
中川恵一／日経サイエンス／2023

二人に一人はなる「がん」を防ぎ、早期発見を目指す、転移や再発を防ぐ“ヘルスリテラシー”を高める本。恩師・養老孟司氏の講演内容も掲載。

『1週間で勝手に痩せていく体になるすごい方法』
栗原毅／日本文芸社／2022

やせられない原因は脂肪肝だった、と著者。脂肪肝を改善し、“やせ体質”に変わるためのシンプルでちょっと意外な5つのポイントとは。

肝臓にたまった脂肪 放置すれば肝臓がん、脳血管障害へ

「健診で肝臓の数値が悪くて……」と言われれば、「あー、飲みすぎ」と思うでしょう。ところが最近、お酒は大して飲まないのに肝臓を悪くする人が増えています。

それが、肝臓外科医の尾形哲さんの『肝臓から脂肪を落とす食事術』でテーマとなっている非アルコール性脂肪肝です。尾形さんは、長野の病院で肥満解消と脂肪肝・糖尿病改善の専門外来をされています。

脂肪肝はなぜか軽んじられがちですが、放置すれば肝臓で炎症を起こし、肝臓の細胞を壊し、やがては肝硬変や肝臓がんといった死に至る病にも。

なおかつ、脂肪肝の人は中性脂肪値も高かったり、糖尿病や糖尿病予備軍の人も多かったりと、「**糖尿病や脳血管障害などの生活習慣病の始まり**」でもあ

る、と尾形さんは指摘します。

ところが、肝臓はかなり悪化するまで症状が出ません。そのため気づいたときには深刻な状態に陥っていた、なんてことが少なくないのです。

尾形さんの本は、専門外来を受診した3人の患者さんが〝O先生〟のアドバイスを受けながら食生活を変え、健康を取り戻す物語になっていて、そのなかでO先生が患者さんにこんなふうに語りかけるシーンがあります。

肝臓は〝沈黙の臓器〟とも呼ばれていて、肝硬変の末期まで黄疸や腹水といった症状はほとんど出ません。だから、検査の数値が重要な手がかりなんです。

『専門医が教える 肝臓から脂肪を落とす食事術 予約の取れないスマート外来のメソッド』より

つまり、健康診断で「AST」「ALT」「γ-GTP」という項目が悪かったら放置してはいけないということ。これらは肝臓に多く存在する酵素で、肝臓がダメージを受けると血液中に放出され、値が高くなるのです。

本来はこれらの数値に問題があればすぐに生活習慣を見直してほしいのですが、数値だけでは重い腰を上げられない人が少なくありません。その場合、私は超音波検査で肝臓がキラキラ輝く様子を見てもらうようにしています。超音波を当てると、脂肪肝の人の肝臓は白く光って見えるのです。

肝臓に脂肪をたくわえる犯人は脂質ではなく、糖質

肝臓が脂肪でキラキラ光ると聞くと、ちょっとゾッとしますよね。ところが、脂肪肝を治す薬はありません。

でも、安心してください。食事と運動というシンプルな方法で脂肪肝はよくなります。非アルコール性脂肪肝の場合、一番の原因は肥満です。食事と運動

でやせれば、肝臓の脂肪も自然と落ちていきます。

とはいえ、言うは易く行うは難し、ですね。そこで、脂肪肝を治すにはまずは炭水化物を控えましょうとアドバイスするのが『不調を治す　血糖値が下がる食べ方』の著者で消化器外科医、ヘルスコーチの石黒成治さんです。

〝脂肪〟肝なのだから「問題は脂肪分の多い食事では？」と思うかもしれませんが、石黒さんは「**控えるのであればまずは炭水化物**」と断言します。

過剰なインスリンは肝臓では脂肪酸を合成するように刺激を与えます。その脂肪酸の原材料はもちろん過剰な糖です。その結果、過剰な脂肪酸を処理するために、どんどん肝臓内、そして脂肪組織に脂肪がたまっていくのです。

『不調を治す　血糖値が下がる食べ方』より

インスリンは、糖質（炭水化物）を摂ったときに分泌されるホルモンです。

糖質を摂りすぎると、血糖値を上げるだけではなく、脂肪肝にもつながっていくのです。

ところで、糖質の摂りすぎ、肥満から脂肪肝になるケースのほか、もう一つの大きな原因は、やっぱりお酒。お酒との付き合いかたはどう考えればいいのかといえば、「**少なくともお酒を飲んで赤くなる人はあまり飲まない方がいい体質**」と石黒さん。

なぜなら、アルコールは肝臓で分解されますが、その分解能力は遺伝の影響を強く受け、弱い人は弱いままなのです。**たとえ飲酒を続けるうちに、だんだん飲めるようになったとしても、肝臓の分解能力が高まっているわけではない**ので、「毒性物質の代謝に肝臓がパンクしてしまう危険が」ある、と石黒さんは説明します。

放射線科医として長年がん治療に携わってきた中川恵一さんも『人生を変える健康学』で、お酒とがんの関係について次のように結論づけています。

「一滴も飲まないことが健康に一番」が結論で、酒飲みの私には耳が痛い話です。
お酒は、口や喉のがん、食道がん、肝臓がん、乳がん、大腸がんなど、多くの臓器のがんを増やします。

『人生を変える健康学　がんを学んで元気に100歳』より

さて、ここまでは肝臓の健康に関する話を紹介しましたが、最後にダイエットという観点から肝臓について語っている本を。日本肝臓学会専門医の栗原毅さんの『1週間で勝手に痩せていく体になるすごい方法』です。この本では、やせ体質に変わるには肝臓にたまった脂肪を減らさなければいけない、と脂肪肝に着目します。

脂肪肝、特に非アルコール性脂肪肝の増加は医療界でもホットなトピックです。日本人成人の3人に一人が脂肪肝と言われるほどですから、他人事と思わず、気にかけてほしいと思います。

一番簡単な認知症予防対策は「正しい歯みがき」

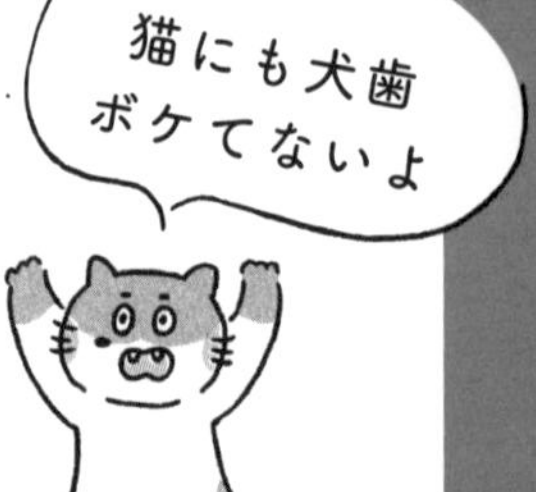
猫にも犬歯
ボケてないよ

―― 歯を大切にしたくなる4冊 ――

『人生100年時代　歯を長持ちさせる鉄則《ルール》 ――健口と健康の3原則』

魚田真弘／クロスメディア・パブリッシング／2021

自分の歯、治療した歯を長持ちさせる予防法、適切な治療法をQ＆A形式でシンプルに解説。歯科にかかる前に読み返せば、治療選択のヒントにも。

『認知症専門医が教える！ 脳の老化を止めたければ歯を守りなさい！』

長谷川嘉哉／かんき出版／2018

歯を失えば脳に送られる血流が減り、刺激が減って、脳の老化が加速する。20万人以上の認知症患者を診てきた医師が教える、歯と脳の守りかた。

『100歳まで自分の歯を残す4つの方法 改訂新版』

齋藤博（著）、木野孔司（監）／講談社／2019

上下の歯をつける癖をコントロールするなどシンプルな4つの習慣で、歯は100歳まで残せる。ヨシタケシンスケさんの「歯離してる？」シール付き。

『東京医科歯科大学を首席卒業した名医が教える 世界の一流はなぜ歯に気をつかうのか ――科学的に正しい歯のケア方法』

森下真紀／ダイヤモンド社／2020

「日本は歯科後進国」と著者。歯が人生も左右する理由を説明し、歯に対する意識が高まる一冊。

歯の平均寿命は60年
予防を間違うと歯を失う

いくつになっても、自分の歯で好きなものを食べて、食事を楽しみたいですよね。ただ、病院で働いていた頃、入院患者さんを診ていると**歯の健康には格差が大きい**ことを痛感しました。

日本人の平均寿命は、2023年現在男性81歳、女性87歳。100歳以上の方も9万人超に達し、「人生100年時代」という言葉もすっかり市民権を得ています。ところが、歯の寿命は60年、と指摘するのが『人生100年時代歯を長持ちさせる鉄則』の著者で歯科医師の魚田真弘さんです。

6歳に生えてくる奥歯の平均寿命は51歳。一番長生きすると言われる犬歯でも60歳となっているのです（2016年歯科疾患実態調査）。（中略）からだの寿命との差は40年もある計算になります。

『人生100年時代　歯を長持ちさせる鉄則――健口と健康の3原則』より

過去の統計から、年齢が上がるにつれて歯を失う割合は増え、その一番の原因は「歯周病」で、どの年齢にも多い抜歯の原因は「むし歯」であることがわかっています（8020推進財団「第2回永久歯の抜歯原因調査」報告書）。

歯が割れたりひびが入ったりする「歯根破折《しこんはせつ》」が3番目に多い抜歯原因ですが、魚田さんによると、神経を取った歯や、むし歯を放置している歯、被せ物が装着されている歯、歯周病が進行している歯、部分入れ歯などの支えになっている歯などが破折のリスクが高い歯、とのこと。つまり、**歯周病とむし歯を予防すれば歯を失う確率は格段に減らせるのです。**

『脳の老化を止めたければ歯を守りなさい！』の著者、長谷川嘉哉さんも、「歳をとったら歯を失うのは当たり前」というのは思い込みで、**予防さえしっかり**

していれば歯は抜けない、と指摘します。

ちなみに、長谷川さんは認知症専門医ですが、「歯を守ることは脳を守ること」と考え、クリニックに歯科用チェアユニットまで導入し、外来でも訪問診療でも歯科医、歯科衛生士による口腔ケアを取り入れているそうです。

30代からは歯周病に注意
正しい歯みがきとプロケアが歯を守る

そんな長谷川さんは、35歳からは歯のケアを変えなければいけない、と注意します。なぜ35歳なのかというと、このあたりから歯周病の発症率が上がるからです。

どう変えるのかという具体的な方法をここですべてお伝えすることはできませんが、長谷川さんがおすすめするポイントを一つ紹介すると、歯だけではなく、歯と歯の間を掃除すること。

アメリカのマスコミから「フロスか、死か（Floss or Die）」という発信がされ、世界中にセンセーションを巻き起こしたことがありました。これは、フロスなどを使って歯間清掃をしなければ、歯周病になってさらに認知症や全身疾患リスクが高まることを端的に言い表したコピーです。

（中略）歯周病発症リスクが高くなる35歳を過ぎたら、歯ブラシでのブラッシングに加えて、これらでの歯間清掃が不可欠なのです。

『認知症専門医が教える！　脳の老化を止めたければ歯を守りなさい！』より

『100歳まで自分の歯を残す4つの方法』の著者で歯科医師の齋藤博さんも、「正しい歯みがきが実践できている人はごく少数」と、歯みがきの〝中身〟の重要性を語ります。

齋藤さん曰く、歯みがきの医学的な目的は、口腔内に付着したプラーク（歯垢）を除去すること。プラークのたまりやすい歯と歯肉の境目は、ブラシの毛先を溝にあてたまま、毛先を動かさないようにして細かく動かすのがコツ、とアドバイスします。

なおかつ、磨きすぎも歯や歯肉をすり減らすので、「**過度の力が入らないように、柔らかい毛先の歯ブラシを2本指でペンを持つ要領で**」**持つといい**そうです。

ただし、正しく歯みがきができたとしてもセルフケアだけでは限界がありそうです。死ぬまで自分の歯を残そうと思ったら「3カ月に1回歯周病管理のために歯科医院に通う」こと、と齋藤さん。

歯周病は歯を失う第一の原因であるだけではなく、全身の病気と関連があることがわかってきています。「歯周病は『全身に炎症が継続している病態』として捉えるべき疾患」と語るのは、『世界の一流はなぜ歯に気をつかうのか』の著者で歯科医師の森下真紀さんです。

一見、口の中にしか問題がないように見える歯周病ですが、実際は「慢性的」かつ「全身性」に炎症が引き起こされている、きわめて異常な状態と言えます。

さらに恐ろしいことには、歯周病の原因菌そのものが、毛細血管から血管へと侵入して全身を駆け巡り悪さをすることも指摘されています。

『東京医科歯科大学を首席卒業した名医が教える　世界の一流はなぜ歯に気をつかうのか
――科学的に正しい歯のケア方法』より

具体的には、「**歯周病を治療することで、糖尿病が好転する**」「**歯周病に由来する慢性的な炎症が、アルツハイマー型認知症の原因である脳の炎症を増強する**」といった可能性が指摘されています。

歯を大事にすることは脳や体の健康にもつながるということ、わかっていただけたでしょうか。

加齢による目の病気は40代から手を打つ

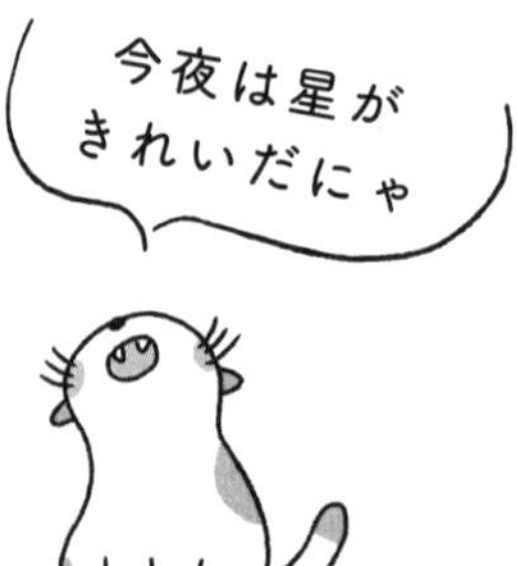
今夜は星がきれいだにゃ

― 目の病気を防ぐ4冊 ―

『視力を失わない生き方　日本の眼科医療は間違いだらけ』
深作秀春／光文社新書／2016

眼球体操で網膜剝離になる、緑内障も手術で治せる、コンタクトは長時間使用してはいけない――。世界最先端の眼科医療を知る著者が語る、眼の真実。

『老眼　近視　乱視　遠視も治せる　白内障手術のすべて　一生「見えにくい」から解放される』
赤星隆幸／KADOKAWA／2020

白内障は誰もがなる老化現象だからこそ、兆候、手術の種類、レンズの選びかたなどを知っておくと安心。オールカラーでやわらかいイラストが読みやすい。

『緑内障　眼科医の私が患者ならこう対処！　名医が教える最新１分習慣大全』
中元兼二、中澤徹、平松類、原田高幸、大黒浩、朝岡亮、石田恭子／文響社／2022

「緑内障の研究はどこまで進んでいるのか」「目薬の使い分けは？」「薬以外の治療法は？」「悪化を防ぐ食べかた、生活上の工夫」など、7名の眼科医が解説。

『視力防衛生活』
綾木雅彦／サンマーク出版／2023

パソコン作業やストレス、マスクなど、目のうるおいが失われやすい現代。うるおいを取り戻し、視力を守り、目を回復させる「目のとじかた」を伝える本。

白内障は誰もが通る老化現象老眼と間違えられやすい

先ほど、歯の寿命は60年という話がありましたが、「目」はどうでしょうか？目が見えなくなるとぐっと生活が不便になりますし、脳への刺激を保つという意味でも、いくつになっても〝見える目〟を守りたいものです。

「眼の寿命は65〜70年」と語るのが、『視力を失わない生き方』の著者で、眼科外科医の深作秀春さん。世界で最も優れた眼科外科医を表彰する（欧米医師以外での唯一の）グリチンガー・アワードの受賞者である深作さんは、白内障や緑内障、網膜疾患のスペシャリストとして国内外の患者さんから支持を集めています。目のすべてを知り尽くしているといっても過言ではない深作さんは、人の寿命の延びに、眼の寿命が追いついていないと警鐘を鳴らします。

高齢者は、白内障や緑内障、網膜剥離、加齢黄斑変性のうちのどれか1つ、もしくは複数に、必ずかかります。どれも失明に繋がる病気です。

今や平均寿命が90歳の時代が来つつありますが、眼のそもそもの寿命は、じつはもっとずっと短く、その差の分だけ、高齢者は失明のリスクに怯えることになります。

『視力を失わない生き方　日本の眼科医療は間違いだらけ』より

年齢が上がるにつれて誰もが失明につながる目の病気を抱えるリスクを負う。だからこそ、**早期診断、早期治療で失明を防いでほしい**と深作さんは言います。

なかでも、水晶体が白く濁って視力低下や見えかたの変化が起きる「白内障」は、特に身近な病気です。「白内障は高齢者がかかるもの」というイメージが強いですが、深作さんは同著のなかで「**白内障は加齢とともに誰にでも起こる病気であり、若い人に起きることもある**」と語ります。実際に、白内障は早ければ40代から進行が始まると言われています。

また、白内障で国際的に貢献した眼科医を顕彰するケルマン賞を日本人ではじめて受賞した眼科医の赤星隆幸さんは『老眼　近視　乱視　遠視も治せる　白内障手術のすべて』で、「白内障初期と老眼は症状が似通っているため、実際は白内障でもご自分が白内障だとは思いもしない人が少なくありません」と言います。**見えにくさを「年のせい」で片付けていたら、実は白内障を進行させてしまっていた**ということがあるわけです。

「白内障は、適切な時期に手術をすれば視力の回復も期待できる病気です」と赤星さんが語るように、手術をしてよく見えるようになれば、快適な生活が長くなり、目から脳への情報も増えるので脳の健康を守る上でもいいでしょう。

緑内障も生活習慣病
サプリよりも血管を守る生活を

一方、緑内障は目と脳をつなぐ視神経がダメージを受けて、だんだん視野が欠けていく病気です。治療の基本は目薬で眼圧を下げること。病気を根本的に治す治療はありませんが、**緑内障の進行を遅らせることで、失明から守ることはできます。**このあたりは、7名の眼科医による『緑内障　眼科医の私が患者ならこう対処！　名医が教える最新1分習慣大全』に詳しいです。

「視野が欠ければすぐに気づくのでは？」と思うかもしれませんが、緑内障では最後まで中心部の視野は残りやすい上に、片方の目の視野が欠けてももう片方が補ってくれるので、意外にも自分では気づきにくいのです。

気づいたときには失明寸前だった……という事態を避けるには早期診断が欠かせません。そのためには、**40歳を超えたら視力検査だけではなく、眼圧検査、**

眼底検査もぜひ受けましょう。

というのは、緑内障は決してまれな病気ではないからです。

『緑内障 眼科医の私が患者ならこう対処！ 名医が教える最新1分習慣大全』では、国内で行われた緑内障の疫学調査では40歳以上の5％、すなわち20人に一人に緑内障が見られた、と紹介しています。しかも、この調査では、**緑内障を発症している人の9割は自分では気づいていなかった**そうです。

だからこそ、40歳になったら検査が必要なのです。

ところで、緑内障を治すことが難しいのなら、ならないように予防することはできないのでしょうか。残念ながら、ピンポイントに緑内障を予防する、あるいは目の老化を防ぐ方法はなかなかありません。ブルーベリーのアントシアニンがいい、ビタミンEがいい、ナッツがいいといった話はありますが、確実にいいと言い切れるほどのエビデンスは今のところありません。

それよりも、目に酸素と栄養を送り届けているのも血管で、目も血管が支配している臓器ですから、**結局は、生活習慣病対策が目の健康も守ります。**

何かと体に悪い喫煙は、緑内障を進行させ、白内障のリスクも上げることは確実です。糖尿病も、細かい血管がダメージを受けることで網膜症という、これまた失明につながる病気を起こしやすく、それが緑内障を引き起こすこともあります。そのほか、睡眠時無呼吸症候群、低血圧、片頭痛、冷え性なども血流を悪化させて緑内障のリスクを高める可能性があるそうです。

緑内障は生活習慣病でもあるという意識をぜひ持ってください。

それから、**緑内障や白内障のリスクがもともと高いのが、近視の人**です。

「近視が進行すると、緑内障や白内障、網膜剥離など失明リスクの高い眼病にかかる確率が5倍以上になります」。こう話すのは〝安定して、よりよく見る力〟を守るための方法を解説した『視力防衛生活』の著者で眼科医の綾木雅彦さんです。近視というだけでリスクは上がるのですから、緑内障も白内障もも う他人事ではありませんよね。「私は大丈夫」と思わず、検査を受けましょう。

睡眠は
歳をとるほど
「時間よりも質」

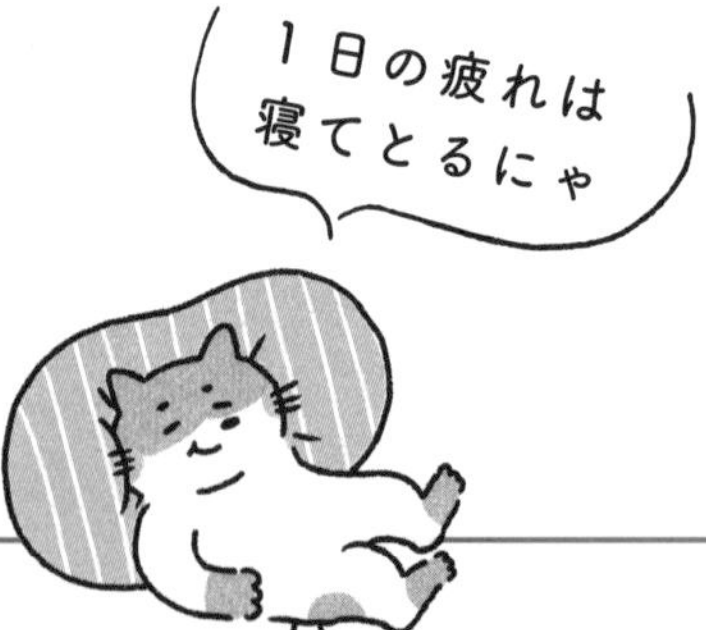
1日の疲れは
寝てとるにゃ

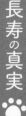

― 安心して眠れる 4 冊 ―

**『朝までぐっすり！
夜中のトイレに起きない方法』**

平澤精一／アチーブメント出版／ 2021

夜中のトイレで悩んでいる人に、すぐに取り入れられる改善方法を紹介。「歳だから」と諦める前にできることがたくさんあると教えてくれる一冊。

『働く 50 代の快眠法則』

角谷リョウ／フォレスト出版／ 2023

睡眠不調者の多い 50 代に向け、夜のトイレ対策、睡眠を改善する 4 ステップを。手軽な方法と本気の方法に分けて紹介されているので、好みに合わせてどうぞ。

『健康になる技術　大全』

林英恵／ダイヤモンド社／ 2023

食事・運動・睡眠・習慣・感情などについてどんなエビデンスがあり、エビデンスがあいまいな部分はどう考えればいいのか余すところなく教えてくれる。

『無意識さんの力でぐっすり眠れる本』

大嶋信頼／ダイヤモンド社／ 2023

眠気は無意識にやってくるもの。意識の働きすぎを止め、無意識に委ねられれば、ぐっすり眠れる。催眠療法を使って心と体をゆるめ、眠りを誘う、睡眠誘導本。

夜中のトイレに悩んでいる人は日中〝足〟を使うこと

寝つきはいいですか？　ぐっすり眠れていますか？　朝起きたときに疲れが残っていませんか？　スッキリ目覚められますか？

すべてに自信を持って「ハイ」と答えられる人はあまりいないのではないでしょうか。**でも、質のよい睡眠は、病気を遠ざけ長生きするためには、食事、運動と並んで三大必須事項です。**

睡眠時間が長すぎても短すぎても死亡リスクが高まることがわかっています。ただし、睡眠時間が10時間以上と長い人は、そもそも具合が悪くて長く寝ている可能性があるので、原因なのか結果なのかはハッキリしません。わかっているのは、どんな調査でも、**睡眠時間が7〜8時間の人は一番寿命が長い**ということです。

ところで、睡眠を妨げる要因の一つに、夜間頻尿があります。就寝後、トイレに行きたくなって1回以上起きてしまうことを夜間頻尿といい、50歳以上では過半数が当てはまると言われます。

この夜間頻尿は、眠りを妨げるだけではなく寿命にも影響を与えると、泌尿器科医の平澤精一さんは『朝までぐっすり！　夜中のトイレに起きない方法』のなかで次のような「衝撃的なデータ」を紹介しています。

国内の研究では、夜間排尿の回数が一晩で2回以上ある高齢者は、夜間排尿の回数が1回以下の高齢者に比べて、死亡率が1・98倍であることがわかりました。

「夜間頻尿と死亡率の関係」に関する複数の研究結果を統合したメタ解析では、2回以上の夜間頻尿があると死亡率は29％増加し、3回以上になると死亡率は46％増加することが指摘されています。

『朝までぐっすり！　夜中のトイレに起きない方法』より

夜間頻尿がなぜ死亡リスクを上げるのか……。睡眠の質を下げるからか、そのために夜中に血圧などが上がるのか、理由はわかりませんが、いずれにしてもこうしたデータを知ると、ドキッとするのではないでしょうか。

でも、「歳のせい」「仕方がない」などと諦める前に生活のなかで工夫できることはいろいろあります。コーヒーや緑茶など利尿作用のある飲み物を夕方以降は控えるといったことはその代表ですが、意外にも大事なのが、平澤さんも紹介している**「下半身の筋肉を使う運動」**です。

下半身の筋力が衰えると、血液を全身に巡回させるポンプ機能が弱まり、足に水分がたまりやすくなります。すると、いざ寝ようと横になると、足にたまった水分が重力から解放されて全身をめぐり、トイレに行きたくなるのです。**これを避けるには、足に水分をためないこと。つまり、日中にしっかりと足の筋肉を動かすことです。CHAPTER 2で紹介したランジ、スクワットは夜間頻尿対策としてもとても優秀です。**

もっとシンプルな方法は、平澤さんも紹介している「足上げ」。仰向けに寝て、足の下にクッションなどを置いて、足が心臓よりも少し高くなるようにします。そうすると下半身にたまった水分が上半身に移動していきます。就寝3～4時間前に15～30分ほど行うのが効果的、とのこと。

企業向けに睡眠改善のスリープコーチをしている角谷リョウさんは、『働く50代の快眠法則』で、夜間頻尿対策として足の運動のほか、腹巻きでお腹を温めることをすすめています。特に綿の腹巻きが肌触りも保温性もよくおすすめで、腹巻きをするだけで夜のトイレ回数が改善する人は多いそうです。

寝る前のルーティン、魔法のフレーズが安眠のスイッチを入れる

健康になるための方法とその習慣化の工夫が網羅されている、公衆衛生学者の林英恵さんの『健康になる技術　大全』でも、エビデンスにもとづいた睡眠

改善法が紹介されています。たとえば、強い光は体内時計に影響を与えるため、トイレに起きたときの光に気をつけるのもその一つ。**寝室からトイレまでの動線では、明るさを落とす、足元だけを照らす光に変えるなど、少しでも光を浴びないような環境づくりを、**とアドバイスします。

また、なかなか寝つけないという悩みも多いですよね。そういう人には、寝る前のルーティンやCHAPTER 1でも紹介したマインドフルネス瞑想を行うことで不眠が改善したという研究結果が出ているそうです。ルーティンとしては、**「風呂に入る、パジャマに着替える、歯を磨く、本を読む、など一連の行動を毎日繰り返すことが重要」**と林さんは言います。

一方、ちょっと変わったアドバイスをくれるのが、『無意識さんの力でぐっすり眠れる本』の著者で心理カウンセラーの大嶋信頼さんです。

「眠れない」という状態は、簡単にいうと、意識をフル稼働している状態です。

••••••

そこで、この意識が働きすぎている状態を「暗示」によってストップさせ、無意識に委ねることで眠れるようになります。

『無意識さんの力でぐっすり眠れる本』より

••••••

寝ようとすると、嫌なこと、不安なことなどをグルグル考えてしまって眠れない……。そういうときには、「夢まかせ」「無意識モード」といった意味がわかるようでわからない**〝魔法の暗示フレーズ〟を頭のなかで繰り返し唱えると、安眠のスイッチが入る、**と大嶋さんは言います。

ほかにも、落ち着く音楽やリラックスする香りなど、方法は何でも構いません。**エビデンスも大事ですが、睡眠に関しては相性も大きいので、寝られるならどんな方法でもいいのです。**今は依存性の低い睡眠薬も出ているので、最終手段として睡眠薬を使うのもアリだと思います。あまり構えずに、自分に合う方法に出合うまでいろいろと試してみてください。

夜の呼吸に気をつける

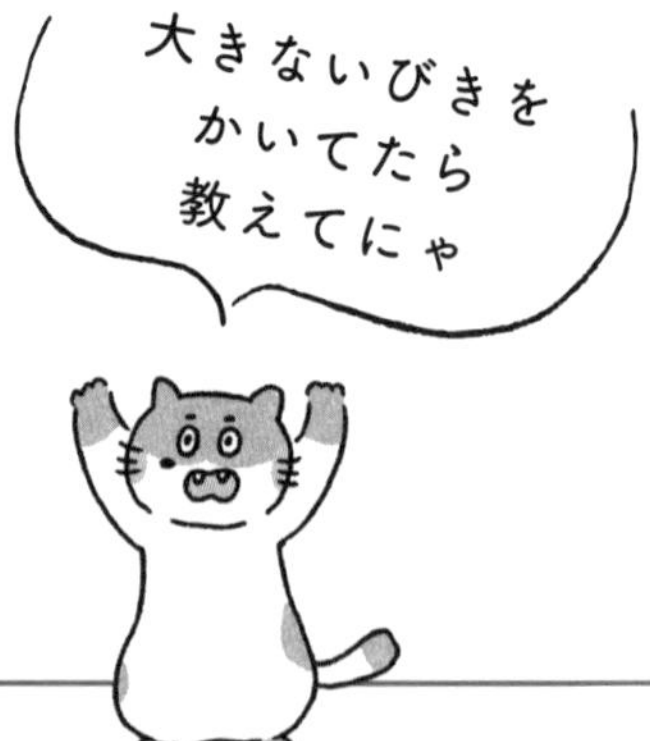
大きないびきを
かいてたら
教えてにゃ

呼吸の深さを知れる4冊

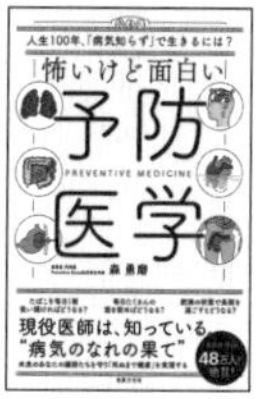

『怖いけど面白い予防医学』

森勇磨／世界文化社／2023

各臓器が働かなくなったあとの世界をリアルな物語で伝える１章、なぜ病気になるのかという知識編の２章、予防法を会話形式で伝える３章の３部構成。

『病気にならない食う寝る養生 予約の取れない漢方家が教える』

櫻井大典／Gakken／2022

「食う寝る」をちょっと変えるだけで心も体も変わる、と著者。体の声を聞きながら、153の養生法のうち自分に合うものをゆるく長く続けたい。

『わがまま養生訓』

鈴木養平／フォレスト出版／2021

江戸時代のベストセラー健康書『養生訓』を現代に合わせてわかりやすく編み直し、漢方の視点から解説した一冊。上田惣子さんのマンガも楽しい。

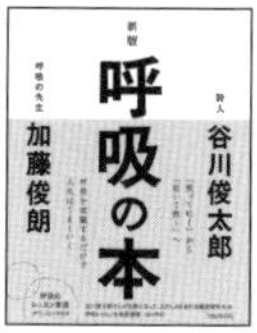

『新版　呼吸の本』

加藤俊朗、谷川俊太郎／フォレスト出版／2021

呼吸から宇宙、意識、魂まで、読者代表の谷川氏の問いに加藤氏が答える。谷川氏が生徒となった呼吸レッスン音源のほか、新版では二人の特別対談も。

寝ながら呼吸が止まる「無呼吸症候群」その脂肪があなたの呼吸を止めている!?

睡眠の質を下げるものといえば、寝ている間に、人知れず息が止まっている人がいます。「え？」と思うかもしれませんが、それが睡眠時無呼吸症候群という病気です。息が10秒以上止まることを無呼吸と言い、寝ている間に何度も無呼吸状態あるいは、息の浅い状態が繰り返されるのです。

「酸素飽和度」という指標を測定すると、70％台という、人工呼吸器が必要なレベルまで下がっていることもめずらしくありませんが（通常、酸素飽和度はほぼ100％に保たれていて、病院では、90％切ると酸素マスクが使われます）、それでも寝ている本人は気づかないまま朝を迎えます。

気づかずに寝ているからいいのかといえば、決してそうではありません。**無呼吸状態が繰り返されると、交感神経がアラートを鳴らし、寝ている間に血圧**

が上がりやすくなります。するとさまざまな生活習慣病のリスクも上がるのです。ここでは、自著『怖いけど面白い予防医学』から、睡眠時無呼吸症候群がなぜ怖いのかを説明した部分を紹介させていただきます。

まず、昼間の眠気によって、無呼吸の人は交通事故を起こすリスクはおよそ7倍になるとされている。そして高血圧をはじめとした生活習慣病にもなりやすくなる。（中略）

ほかにも糖尿病、脂質異常症、がん、うつ病といった病気のリスクを上げるというデータもあり、心筋梗塞や脳梗塞にもつながりかねないさまざまな危険因子を抱える可能性を一度に上げてしまうのだ。

『怖いけど面白い予防医学』より

大きないびきをかいて寝ている人、いびきの回数が多い人、日中に眠気やだるさ、イライラを感じる人は要注意です。**特に肥満の人は首周りについた脂肪**

が気道を圧迫して睡眠時の無呼吸を引き起こしやすい。ドミノのように生活習慣病をバタバタと引き起こす前に、早めの検査をおすすめします。

漢方コンサルタントの櫻井大典さんも『病気にならない食う寝る養生』で、「無呼吸の症状を放置していると、心筋梗塞や脳梗塞、高血圧、不整脈などが起こりやすくなります」と、いくつかのアドバイスを送ります。

一つは、横向きに寝ること。仰向け寝はいびきをかきやすいのです。

もう一つは、肥満の場合はやせること。のどが物理的にふさがれることで無呼吸になりやすいので、邪魔な脂肪を落としてあげることが一番の近道です。**ただ、やせていて、あごの細い女性も、もともと空気の通り道が狭いため睡眠時無呼吸症候群のリスク大です。**また、女性の場合は、更年期にさしかかると体重が増えやすく、リスクが上がることもつけ加えておきます。

ちなみに寝る姿勢は、櫻井さんによると、中医学では「右向きに寝る形がよい」との話があるそうです。うつ伏せでは自由な呼吸ができずに悪夢を見て、仰向けで胸に手を置いて寝ると心臓を圧迫するのでやっぱり悪夢のもとに。左向きに寝ると、心臓の先端が圧迫されてまたもや悪夢を見る、とか。

さらに、江戸時代の儒学者・貝原益軒が80歳を過ぎて書いた健康書『養生訓』を現代の漢方の視点から解説した、鈴木養平さんの『わがまま養生訓』では、「口は閉じて眠ること」とあります。というのは、養生訓には「口を開けたまま寝ると、気を減らし、歯が抜けてしまう」との一文があるそうです。

ところで、呼吸に関する本も多いですよね。**ゆったりとした呼吸は副交感神経を優位にして心と体をリラックス状態に導きます。**

呼吸のレッスンを行っている呼吸家の加藤俊朗さんは、詩人の谷川俊太郎さんとの共著『新版　呼吸の本』で、健康になりたい人は寝る前に呼吸法を、と説きます。ちなみに加藤さんの呼吸法は、吸ってから吐く深呼吸とは逆で、吐いてから吸うやりかたです。寝る前に、布団のなかで吐いて吸ってリラックスしたら、眠りにつきやすくなるかもしれません。試してみてください。

COLUMN

世の中は嘘だらけ

私が「予防医学ch」というYouTubeチャンネルを始めたのは、間違った健康法にすがってがんなどの病気を進行させてしまった人に救急の現場でたくさん出会ってきたからです。偽りの健康情報に惑わされないように、情報を見分ける目を持ってほしいと切に願っています。

コツは①「医療情報は言い切りにくい」と知っておく、②論文が引用されている健康本を選ぶ、③「正しい医学用語」で検索する——の3つ。心に留めておいてください。

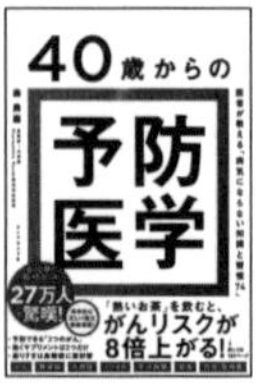

『40歳からの予防医学　医者が教える「病気にならない知識と習慣74」』
森勇磨／ダイヤモンド社／2021

人生100年時代に必須の教養「予防医学」の知識を一冊に。自分の病気、親の介護が近づく40代以上にぜひ。正しい医療情報を見抜くコツも紹介。

『日本人の食事摂取基準（2020年版）』
伊藤貞嘉・佐々木敏（監）／第一出版／2020

35種類の栄養素とエネルギーについて摂取することが望ましい量を示した基準。厚労省が5年ごとに改定している。情報の真偽を見分ける判断材料に。

CHAPTER

5

100歳までしたたかに図太く生きる！

●

すごい『考えかた』

「病気になってから考える」では遅すぎる

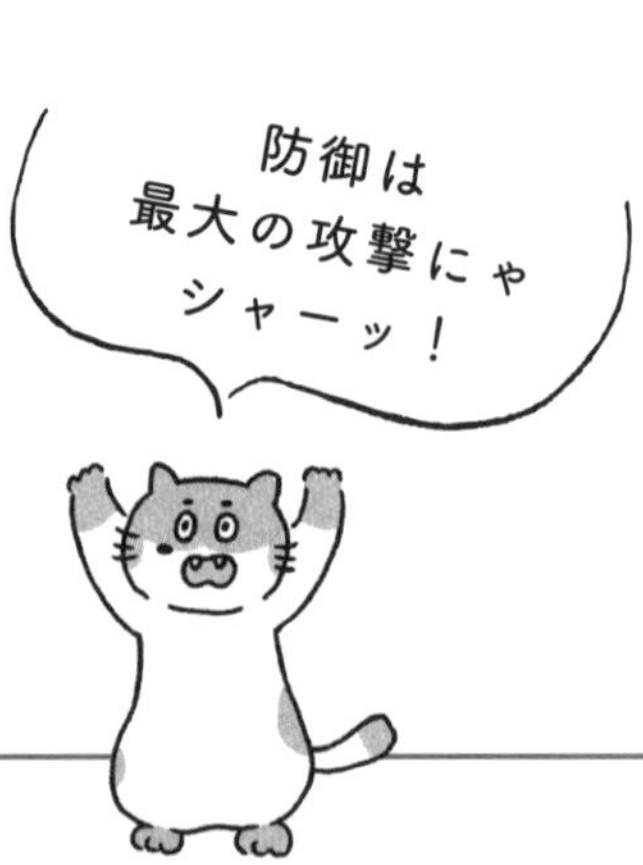
防御は
最大の攻撃にゃ
シャーッ！

予防の大切さがわかる4冊

『治療では遅すぎる。ひとびとの生活をデザインする「新しい医療」の再定義』
武部貴則／日経 BP・日本経済新聞出版本部／2020

生活を脅かす病が複雑に絡み合う現代、医療の使命も変わってきた。メタボを視覚的に伝えるアラートパンツ、見える塩など、医療にクリエイティブを。

『認知症は予防が9割
ボケない7つの習慣』
森勇磨／マガジンハウス新書／2023

認知症は治らないけれど、予防はできる。変化のサインにいち早く気づく方法、リスクを下げる習慣、認知症を疑ったらすべきことをわかりやすく解説。

『科学的に正しい認知症予防講義』
浦上克哉／翔泳社／2021

認知症発症リスクは生活習慣などで40%も下げられる。認知症予防学会理事長の著者が、12のリスクの内容と、それをカバーする“3つの習慣”を紹介。

『死ぬときに後悔すること25』
大津秀一／新潮文庫／2013

千人超の最期を見届けてきた緩和医療医の著者が、終末期の患者さんがかつて後悔していたことを思い出とともに紹介。後悔の少ない一生を生きるために。

病気の〝質〟が変わった現代
1対1の治療では完治できない

大学病院の救命救急病棟で働いていた頃、すっかり病状を悪化させてから病院にかかり、後悔の念に苦しむ患者さんたちをたくさん見てきました。

日本では、国民皆保険のおかげで1～3割の自己負担で安く医療を受けられます。それはとてもいいことですが、病気になったら病院で治してもらえばいいと、自分で自分の健康を守る意識が薄い人が多いように感じます。

それに対し、寿命が延び病気のタイプが変わってきたなか、病気になってからの治療ではできることが限られてしまうと警鐘を鳴らすのが、『治療では遅すぎる。』の著者で医師の武部貴則さんです。

じわじわと時間をかけて人の体を蝕《むしば》む生活習慣病のほか、心の病、認知症など日々の生活に不自由をきたすような病気も増え、なおかつ、年齢が高まれば高まるほど複数の病をあわせ持つ人が増えるなか、「とても1対1対応で治療が完了するような状況にはない」と、武部さんは言います。

現代社会が対峙する疾患群においては、生活のあらゆる側面が誘引となるため、原因をひとつに帰着させることが難しい。裏を返せば、これら多くの疾病においては、近代の医療をもってしても原因を根本から治すことができないのである。

『治療では遅すぎる。ひとびとの生活をデザインする「新しい医療」の再定義』より

病気を発症してから治療をしても治らないかもしれませんし、後遺症が残るかもしれません。あるいは、生活習慣病であれば、一生薬を飲み続けなければいけないかもしれません。

だから、**〝治療では遅すぎる〟**のです。

私も同じ課題意識を持っていたので、〝病院の外〟にいる人たちに向けて病

気にならないための正しい医療情報を伝えたいと思い、ユーチューブでの発信を行ったり、本を書いたりしてきました。その一つ、『認知症は予防が9割』では、私が予防に力を入れるようになったきっかけとして、救急で働いていた頃の経験を次のように振り返っています。

高血圧なんて大丈夫と思って放置した結果、動脈硬化が進行し脳の血管が詰まり、半身麻痺で運ばれてきた方。暴飲暴食を繰り返した結果、血糖値が跳ね上がり意識朦朧とした状態で来院された方。がん検診を受けておらず、がんが進行した状態で体中の痛みを訴え来院された方。そんな患者さんを診療する中で、何度、

「元気な時に、もう少し自分の体のことを知っていれば」

「健康に生きることに、もう少し貪欲になってもらえれば」

と悔しく思ったかは分かりません。

『認知症は予防が9割　ボケない7つの習慣』より

人が最期に後悔することは？
「健康を大切にしなかったこと」

さらに、これからの日本の人口構成を考えても予防に努めることが大事、と伝えるのは『科学的に正しい認知症予防講義』の著者で日本認知症予防学会理事長の浦上克哉さんです。

今、日本では65歳以上の高齢者の割合はなんと29％にまで達しています。全人口の3人に一人が高齢者という世の中に、だんだん近づいているのです。

さらに、今後10年以内に認知症の人が700万人を超え、高齢者の5人に一人が認知症という時代がやってくるとされています。

そうすると、どうなるのか――。

認知症の人を含む高齢者のサポートをする介護人材の需要は高まるばかりですが、少子化が進んでいる現状を考えると、「これなら十分」といえるほど多くの若い人が介護の現場にやってくることは期待できません。

『科学的に正しい認知症予防講義』より

こうした将来がもう間近に迫っているからこそ、住み慣れた地域で自分らしく暮らし続けたいと思うなら、若い世代に頼るばかりではその希望は叶いません。だからこそ、浦上さんは「**私たちが『元気な高齢者』になることが非常に重要なのです**」と呼びかけるのです。

すでにお伝えしたとおり、現代の医学では認知症を治すことはできません。でも、予防はできます。認知症に限らずですが、**人生の終盤にさしかかったときになるべく後悔のないように、健康なまま長生きできるように、今のうちから予防に努めてほしい**と思います。

ところで、死を目前にして人が後悔することとは、どんなことだと思いますか？　「人が後悔する内容は人類皆兄弟、だいたい決まっている」と語るのは、『死ぬときに後悔すること25』の著者、大津秀一さんです。

緩和医療医として、末期がんの患者さんをはじめ、千人以上の患者さんの最期を見届けてきた大津さんは、心身の苦痛を訴える患者さんたちと向き合うなかで「人生で解き残す問題は、実はそれほど多様性がないのではないか」とわかってきたそうです。そして、終末期に誰もが後悔しやすいことを25の項目にまとめ、紹介したのがこの本で、**その第一に挙げられているのが「健康を大切にしなかったこと」**です。

「もう少し早く検査をしておけば良かった……」

そういって後悔する人は少なくないそうです。だからこそ、「健康なうちから健康を大切にすること」、つまりは「病気を早期発見し、それを是正しようとすること」が、後悔の少ない最期を迎えるための第一の提案、と大津さんは言います。では、早期発見のためにはどんな検査が欠かせないのでしょうか。

それが次のテーマです。

早いうちから検査に行く

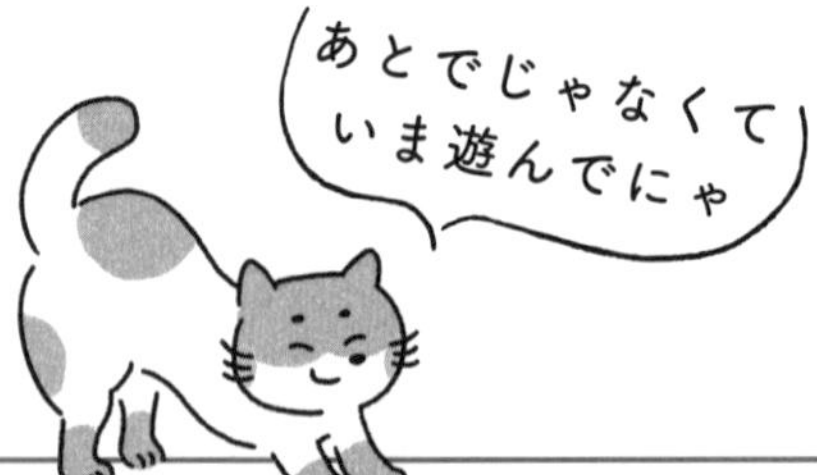
あとでじゃなくて
いま遊んでにゃ

── 健診に行きたくなる 4 冊 ──

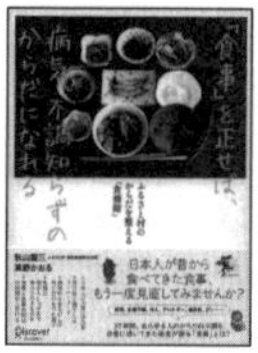

『「食事」を正せば、病気、不調知らずのからだになれる　ふるさと村のからだを整える「食養術」』
秋山龍三、草野かおる／ディスカヴァー・トゥエンティワン／ 2016

江戸時代生まれで 92 歳まで病気知らず、民間療法の達人だった祖母の食事を手本にした食養術。日本人の体に合った安全な食を調味料から教えてくれる。

『心臓専門医が教える！　健康長寿の人が毎日やっている心臓にいいこと』
別府浩毅／自由国民社／ 2021

日本人の死因 2 位の心臓病は、食事・運動・呼吸・脳（ストレス）・睡眠の 5 つを見直せば予防できる。すでに心臓の病気を持っている人はそのケアにも。

『ボケ日和　わが家に認知症がやって来た！　どうする？　どうなる？』
長谷川嘉哉／かんき出版／ 2021

「ちょっと変」と気づく“春”、不安になる“夏”、周辺症状に困惑する“秋”、決断を迫られる“冬”。認知症の進行を多数のエピソードを交えて描いた一冊。

『老人性うつ　気づかれない心の病』
和田秀樹／ PHP 新書／ 2012

高齢者の 5 ％がうつ病。高齢になると脳の変化と喪失体験によってうつになりやすいが、薬が効きやすい。晩年の幸せを守るために、うつの早期発見を。

がんのトップ3は
どれも早期発見できるがん

日本人の死因1位はがんということはよく知られています。では、がんのなかでも何がんが多いかはご存じですか？

罹患数のトップ3は、大腸がん、肺がん、胃がんで、死亡数のトップ3は、肺がん、大腸がん、胃がんです。**罹患数1位、死亡数2位の大腸がんが増えている主な原因は、食生活の欧米化だと言われています。**

欧米化された現代の食事とは真逆の、日本人が昔から口にしてきた食べ物によってこそ健康で天命を全うできる、と伝えるのは『「食事」を正せば、病気、不調知らずのからだになれる』です。著者の一人で、完全自給自足の食養を目的に「ふるさと村」を開設した秋山龍三さんは、がんや難病が増えている現代について、こんな感想をもらしています。

現代に生きる多くの人たちは、この危機的な状況に目を向けず、「どっちの店がうまい、いやあっちの店は美味だ」などと食べ歩きに余念がありません。

命を支える食事があまりにも無残な扱いを受けている現状を、私は怒りや嘆きを超えて、悲しみの感情に堪えています。

『「食事」を正せば、病気、不調知らずのからだになれる　ふるさと村のからだを整える「食養術」』より

食生活ともう一つ、がんで死なないために欠かせないのが早期発見です。幸いにも、罹患数・死亡数ともにトップ3に入る**大腸がん、肺がん、胃がんはいずれも〝早期発見できるがん〟**なのです。

まず、大腸がんは便潜血検査で死亡率が20％ほど下がるというエビデンスもあるので、50歳からは毎年便潜血検査を。加えて、大腸カメラ検査も10年に1度を目安におすすめします。肺がんは喫煙が最大の原因ですが、PM2・5などの影響で非喫煙者にも増えています。タバコを吸わない方は胸のレントゲン

検査、ヘビースモーカーの方は低線量CT検査を年1回受けましょう。胃がんはピロリ菌検査を受けて陽性であれば除菌すること。そして陰性または除菌後も胃カメラ（2～3年おき）かバリウム検査（1～3年おき）を。女性は40歳から乳がん、子宮がん検診も忘れないでください。

さて、がんに次いで多い死因が心臓病です。心臓病は突然死の原因にもなりますが、『健康長寿の人が毎日やっている心臓にいいこと』の著者で心臓専門医の別府浩毅さんは、**心臓病は「突然に起こる疾患ではなく、ほとんどが生活習慣に起因する」**と言います。つまり、心筋梗塞や狭心症などの怖い病気を起こす前に、生活習慣で防ぐことができるということ。

その一つとして、「高血圧が続くと心不全になる」「『糖分』は血糖値を急速に上げて心臓を弱らせる」「悪玉コレステロールは絶対に下げる」と、血圧、血糖値、コレステロール値のコントロールの大切さを説きます。これらの問題を発見するのが、特定健診、いわゆるメタボ健診ですよね。

ですから、**いつまでも健康でいたいと願うなら、前述のがん検診と年1回の健診はマスト**と心得ましょう。

認知症の一歩手前は「ちょっと変」家族の気づきが予防につながる

認知症も早期発見が大事です。CHAPTER 3でもお伝えしたとおり、認知症の一歩手前、MCI（軽度認知障害）の段階であればまだ挽回できるからです。

認知症専門医の長谷川嘉哉さんの『ボケ日和』では、「MCIの患者さんの特徴をひと言でいえば、『ちょっと変』」と表現します。

これまでどおり家事や仕事はこなせますし、難しい本や新聞を読むこともできます。慣れている人ならパソコンやスマホの操作もお手のものでしょう。

でも、家族からすると、「あれ？」ということが増えてくる。

『ボケ日和　わが家に認知症がやって来た！　どうする？　どうなる？』より

冷蔵庫や電子レンジに意外なものを放り込んで忘れてしまったり、穏やかだった人がちょっとしたことで怒り出したり、待てなくなったり……。そうした「ちょっと変」に気づいた家族に連れられてクリニックを訪れ、記憶力や計算力などを調べる「ＭＭＳＥ検査」や前頭葉機能をチェックする「ＦＡＢ検査」、頭のＣＴ検査を受けてＭＣＩと判明した患者さんのエピソードが描かれています。**「ちょっと変」を見逃さないことが、ＭＣＩの段階で見つけるコツなのです。**

「ちょっと変」の正体が、認知症ではなく、うつ病だったということもあります。そう教えてくれるのは、『老人性うつ』の著者で高齢者専門の精神科医である和田秀樹さんです。

高齢者の場合、心と体の結びつきが若い人よりも強く、体を病むと心を病みやすく、心を病むと体にも悪影響が出やすい。しかも、高齢者のうつは思い詰めて、比較的簡単に死の選択にまで至ってしまうこともあるから、非常に重要な病気である。ところが、認知症と誤解されて、見落とされていることが多い――。

そう、和田さんは問題提起します。

寝られない、気力が出ないといったうつ病の症状は認知症と似ています。そのため、高齢者でそうした症状を訴えると、深く考えずに「認知症だろう」と診断してしまう医者もいるのです。**認知症とうつ病の大きな違いは、自分が病気だという自覚があるかどうか。**認知症の人は自覚がなく、家族が気づくことが多い一方、うつの人は若い人も高齢の人も自分で違和感を覚え、病院にかかることが多いです。

うつ病は治せる病気です。高齢者の「ちょっと変」には認知症だけではなく、うつ病も隠れているかもしれないということは覚えておいてください。

ピンピンコロリを目指さないでいい

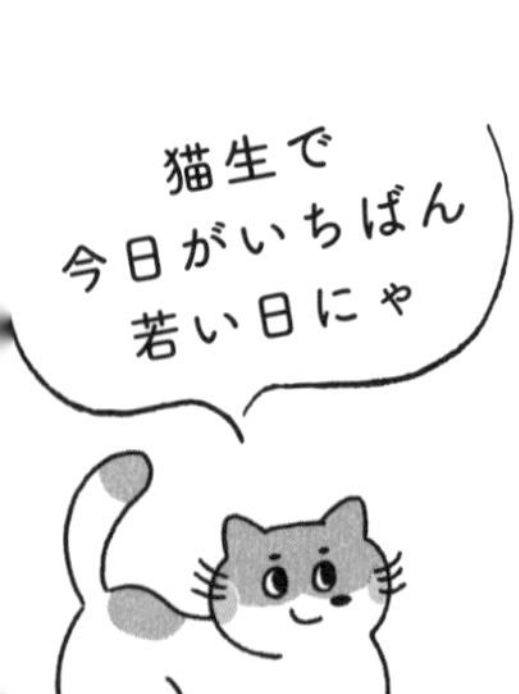
猫生で
今日がいちばん
若い日にゃ

── 老いが楽しみになる4冊 ──

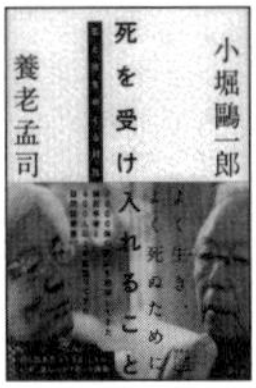

『死を受け入れること　生と死をめぐる対話』

養老孟司、小堀鷗一郎／祥伝社／2020

解剖学者として死体を通して人間の生と死を見つめてきた養老氏と、命を救う医療から命を終えるための医療へ転換した小堀氏の対談。

『この世を生きる「あの世」の教え
──与えられた命をどう使うか』

矢作直樹／きずな出版／2020

この世になぜ生まれてくるのか、あの世はどこにあるのか。救急医として人智を超えた力を感じてきた著者が語る命の話。どう生きるかを考える一助に。

『ボクはやっと認知症のことがわかった　自らも認知症になった専門医が、日本人に伝えたい遺言』

長谷川和夫、猪熊律子／KADOKAWA／2019

認知症医療の第一人者が認知症になり、何を思ったのか。認知症になっても人が変わるわけではない。誰もが認知症になり得る時代に贈るエール。

『小さなことの積み重ね
98歳現役医師の“元気に長生き”の秘訣』

髙橋幸枝／マガジンハウス／2015

80代で晩酌の楽しみを覚え、92歳で骨折するもリハビリで3階の自宅まで上がれるように。98歳で週一の診療を続ける医師の日々の積み重ねかた。

ピンピンコロリは〝事故〟以外にはないと心得ましょう

ピンピンコロリと逝きたい——。そうよく聞きます。でも、昨日まで元気でピンピンしていた人が突然コロリと死ぬということは、心筋梗塞や大動脈解離、窒息といったなんらかの〝事故〟が起きない限り叶いません。たまたまそういう最期になって「ピンピンコロリの人生だったし、よかったよね」と周りの人が受け止めることはいいと思いますが、目指すものではないのでは、というのが正直なところです。現実は、平均寿命と健康寿命の差を考えると、10年前後、介護が必要になったり寝たきりになったりする期間があるのが平均的な人生のしまいかたです。ピンピンとコロリの間の要介護期間が多少はあると想定しておいたほうがいいでしょう。ただ、その期間を短くすることは可能です。

一方、介護が必要になってきた晩年をいかに有意義に過ごすかも大事で、そのために、最近では「**人生会議**」**と呼ばれるように、元気なうちから家族をはじめとした周りの人と話し合っておいてほしいと思います。**

死について、解剖学者の養老孟司さんは、同年で同じく東京大学医学部出身の小堀鷗一郎さんとの対談本『死を受け入れること』で、こう語っています。

••••••

僕の死は、自分にとってではなく家族にとっての問題なんです。僕は死んでいる。何もできない。家族は生きている。だから委ねる。

『死を受け入れること　生と死をめぐる対話』P56～57より

••••••

••••••

死を自分の問題と錯覚している人が多いのですが、本人には問題ではありません。だって死んでしまうんだから。

『死を受け入れること　生と死をめぐる対話』P58より

••••••

私も、死にかたに良し悪しはないと個人的には思っています。あえていうならば、周りの人になるべくスムーズに受け入れてもらえるような形で準備をしておくといいですよね、ということぐらいです。

東大病院で救急医療の責任者をされていた矢作直樹さんは『この世を生きる「あの世」の教え』で、**「人生は長さを競うものではない」**と語ります。

・・・・・・・・・・・

人生が延びることによって付随することはありますが、生命のゴールは、その長さを競うことではないということを理解しておかなければなりません。

『この世を生きる「あの世」の教え ――与えられた命をどう使うか』より

・・・・・・・・・・・

長さを競うのではなく、与えられた寿命をいかに生き切るかが私たちの使命ではないか、と矢作さんは問いかけます。１００年健康に生きることがテーマの本書で語ることではないかもしれませんが、人生の大前提として長さのみを追求するものではないと私も思います。ですから、タバコもお酒も楽しんでもらっていいのですが、リスクをちゃんと知った上で判断してほしいのです。そのほうが**自分の人生への納得感が上がる**と思うからです。

人生の大先輩から学ぶ「今を大切に」「メリハリのある毎日を」

認知症は予防が大事という話をしましたが、これまでに出会った患者さんたちを思い浮かべると、長生きこそが認知症のリスクであることも否めません。ただ、認知症になっても変わりませんよ、決して怖いものではありませんよ、と教えてくれるのが長谷川和夫さんです。

認知症検査として広く使われている長谷川式スケールの開発者である長谷川さんは、自身が認知症になり、「当事者となってわかったことをお伝えしたい」と、『ボクはやっと認知症のことがわかった』を上梓されました。

何よりもいいたいのは、これは自分の経験からもはっきりしていますが、「連続している」ということです。人間は、生まれたときからずっと連続して生きているわけですから、認知症になったからといって突然、人が変わるわけではありません。昨日まで生きてきた続きの自分がそこにいます。

『ボクはやっと認知症のことがわかった　自らも認知症になった専門医が、日本人に伝えたい遺言』より

長谷川さんは本の最後に「生きているうちが花」と思いながら、「『いま』という時間を大切に」、「社会や人さまのお役に立てることを、自分ができる範囲でやっていきたい」と綴っています。こうした人生の大先輩の言葉を聞くと、そんなに怖がらなくてもいいんだと安心できるのではないでしょうか。

さて、本書を読んでいただくとわかるように、**結局は適度な運動とバランスのよい食事で生活習慣病を防ぐことがすべてに共通する最適解**です。

１００歳を超えてもなお医師として診療を続け、病院の隣にある自宅で一人

暮らしをされていた髙橋幸枝さんが98歳のときに書かれた『小さなことの積み重ね』には、こんな一節があります。

・・・・・・・・・・・

毎日規則正しく生活し、午前中の仕事と午後のお楽しみというメリハリがあり、運動のかわりに階段の上り下りをしている。

そんな毎日の生活が私の健康を支えているのかもしれません。

『小さなことの積み重ね　98歳現役医師の〝元気に長生き〟の秘訣』より

・・・・・・・・・・・

健康を支える習慣をまさに端的に表しています。**予防のためにできることをやり、晩年に向けた心構えもしておけば、あとは「人事を尽くして天命を待つ」で十分でしょう。**死にかたまできれいに仕上げようとアレコレ心配するよりも、今という時間をめいっぱい楽しみましょう。

森　勇磨

内科医、産業医、労働衛生コンサルタント。ウチカラクリニック代表。藤田医科大学病院の救命救急病棟での勤務後、2020年2月よりYouTubeにて「予防医学ch」をスタート。登録者数は70万人を超える（2024年3月時点）。株式会社リコーの専属産業医として、予防医学の実践を経験後、独立。法人向けの福利厚生としてのオンライン診療サービスの展開、健康経営のコンサルティングなどを通じて予防医学のさらなる普及を目指している。著書に『40歳からの予防医学』（ダイヤモンド社）、『怖いけど面白い予防医学』（世界文化社）、『認知症は予防が9割』（マガジンハウス新書）など多数。

装丁・本文デザイン／相原真理子
DTP／坂巻治子
構成／橋口佐紀子
編集統括／吉本光里（ワニブックス）
イラスト／ヤブイヌ製作所
校正／鈴木初江
編集協力／岡田直子、笹木はるか、渡邉宥介、松本理（ヴュー企画）

予防医学で健康不安は消せる！
100年長生き

著　者　森　勇磨

2024年6月10日　初版発行

発行者　横内正昭
編集人　青柳有紀

発行所　株式会社ワニブックス
〒150-8482
東京都渋谷区恵比寿4-4-9　えびす大黑ビル
ワニブックスHP　http://www.wani.co.jp/
WANI BOOKOUT　http://www.wanibookout.com/
（お問い合わせはメールで受け付けております
HPより「お問い合わせ」へお進みください）
※内容によりましてはお答えできない場合がございます。

印刷所　株式会社 美松堂
製本所　ナショナル製本

定価はカバーに表示してあります。
　ISBN 978-4-8470-7436-3